Ouate de phoque!

Catalogage avant publication de Bibliothèque et Archives nationales du Québec et Bibliothèque et Archives Canada

Beaumier, Camille, 1994-

Ouate de phoque !

(Collection Génération filles)
Sommaire : t. 1. Ne rougis pas Léa.
Pour les jeunes.

ISBN 978-2-89074-568-1

I. Beauregard, Sylviane. II. Titre. III. Titre : Ne rougis pas Léa.

PS8603.E338O92 2012 jC843'.6 C2012-940012-2
PS9603.E338O92 2012

Édition
Les Éditions de Mortagne
C.P. 116
Boucherville (Québec) J4B 5E6

Distribution
Tél. : 450 641-2387
Téléc. : 450 655-6092
Courriel : info@editionsdemortagne.com

Illustrations intérieures
© iStockphoto : Marinello, Fatmayilmaz, Darko Savkovic, Linearcurves

Graphisme
Ateliers Prêt-Presse

Dépôt légal
Bibliothèque et Archives Canada
Bibliothèque et Archives nationales du Québec
Bibliothèque Nationale de France
1er trimestre 2012

ISBN 978-2-89074-568-1

12 13 14 15 - 12 - 18 17 16 15

Imprimé au Canada

Nous reconnaissons l'aide financière du gouvernement du Canada par l'entremise du Fonds du livre du Canada (FLC) et celle du gouvernement du Québec par l'entremise de la Société de développement des entreprises culturelles (SODEC) pour nos activités d'édition. Gouvernement du Québec – Programme de crédit d'impôt pour l'édition de livres – Gestion SODEC.

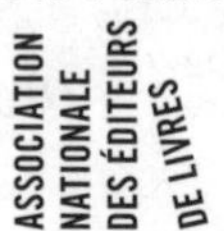

Membre de l'Association nationale des éditeurs de livres (ANEL)

Camille Beaumier
Sylviane Beauregard

Ouate de phoque !

Tome 1. Ne rougis pas, Léa

Éditions de Mortagne

À Christine Pichette,
le merveilleux professeur
qui m'a transmis sa passion
pour la langue française

CAMILLE

À ma mère et à ma grand-mère,
mes deux premiers
professeurs de français

SYLVIANE

Quand cent
quatre-vingts jours
de ma vie dépendent
de la santé mentale
d'un ordi détraqué

24 AOÛT

Je regarde la liste. Mon nom y est. Ça, j'en suis certaine. C'est bien moi. Je le relis, encore et encore. Mes yeux bégaient, on dirait. La liste est incomplète, je ne vois pas le nom de Martin. Ni celui de Sabine. Ou de Jérémie. Ni celui d'Antoine... ! Qui a collé une liste incomplète sur le mur ? Ils ont eu tout l'été pour la faire, cette liste. Je regarde la liste des *Verts*. (Pourquoi désigne-t-on encore nos groupes comme à la maternelle ? Les *Bleus*, les *Verts* ? Pourquoi pas les **CALINOURS**, tant qu'à faire. Pourquoi j'ai été assez naïve pour croire qu'ils auraient compris pendant l'été ?) Tous mes amis sont dans les *Verts*, l'autre classe. On dirait une catastrophe naturelle que **MISS MÉTÉO** n'a pas prévue.

Je suis séparée de tous mes amis. Comme en deuxième année du primaire. Quand je me suis ramassée toute seule, séparée de mon amie Marie. La pire année de ma vie.

Même sensation aujourd'hui. Une brume m'enveloppe. Cent soixante-dix-neuf jours. Il reste cent soixante-dix-neuf jours. C'est trop long. Je prends une grande respiration. Je souris et je fonce. J'entre dans la classe qui n'a pas de fenêtres extérieures. Rien que des fenêtres qui donnent sur une agora et un corridor tout gris. Pas moyen de regarder le **CIMETIÈRE**, ni les **tempêtes de neige**. Pas le droit d'être dans la lune. De toute façon, comment peut-on partir dans la lune en regardant l'affiche : *Le français,* *je le parle par cœur*, avec tout plein de petits cœurs qui explosent de joie ? Sans mes amis, ça va être une année brumeuse, je vous dis.

Le prof de sciences nous a demandé de choisir notre partenaire de labo. Pas question de changer en cours de route. Vous n'êtes pas des girouettes, qu'il nous a dit avec un super grand sourire *foule* charmeur. Il a un beau sourire. Alors, pourquoi s'en servir pour établir un règlement nul ? Heureusement que Lily est là. Un regard et on sait qu'on fera équipe. Pendant toute l'année. Pas de problème, on se connaît depuis la garderie. On sait qu'on peut compter l'une sur l'autre. Je n'avais pas vu son nom sur la liste. C'est un peu moins brumeux. Une éclaircie, dirait Miss Météo.

27 AOÛT

– Vous lirez le code de vie, ce soir. Vous le signerez. Puis vous le ferez signer par vos parents. Je vérifierai lundi prochain. Organisez-vous pour que je n'aie pas à donner de billets blancs. Je déteste en donner pendant la première semaine.

Malgré sa menace de nous infliger une cruelle PUNITION dès le premier jour – un avis de trèèès mauvais comportement à faire signer par nos parents –, il avait un petit sourire sur les lèvres. Pas son sourire *foule* CHARMEUR. Un sourire discret.

On a de la CHANCE. Il a oublié le traditionnel discours au sujet de l'uniforme. La jupe à carreaux vert, bleu et rouge portée dignement. (Hier soir, j'avais décidé de la porter indignement, cette année. Je ne sais pas vraiment comment m'y prendre, alors je fais comme d'habitude...) La chemise ou le polo entré DANS la jupe (comme en 1950). Les gars ? Ils doivent porter un pantalon gris à une hauteur raisonnable. (Le style rappeur n'est pas très prisé dans notre école internationale.)

Comme tous les membres de son clan, mon titulaire, qui est aussi mon PROF de sciences, y va un peu fort. Un billet blanc si le code de vie n'est pas signé ! Faut toujours qu'il y ait quelqu'un qui s'énerve avec ça.

Le CODE DE VIE. Avec ma mère, on a un jeu. On cherche les nouveautés et on rigole. Il y en a toujours, des nouveautés. On dirait qu'ils se forcent pour inventer des règlements toujours plus drôles chaque année. D'ailleurs, la directrice a une imagination débordante.

Cette année, elle s'est acharnée sur les manifestations sentimentales. Si elle en a contre les manifestations sentimentales, pourquoi des petits cœurs qui sautillent sur l'affiche ? C'est pas logique.

– D'après moi, elle a coiffé Sainte-Catherine, ta directrice, a dit ma mère, très sûre d'elle.

– COIFFER QUOI ??????????!!!!!!!!!!!!!

Ma mère parle comme un vieux LIVRE d'histoire, ça fait *foule* peur.

– De quoi tu parles, maman ?

– D'après moi, elle n'a pas de chum. Vous voir vous embrasser, ça la rend malheureuse. Dans mon temps, on n'aurait jamais accepté qu'on s'attaque à notre liberté comme ça. C'est scandaleux ! Il faut... Léa, écoute celui-là !

Léa, c'est moi. Je vous l'avais dit ?

Ma mère a trouvé autre chose. Elle rit tellement que des larmes coulent sur ses joues. Je ne pourrai pas faire signer le fameux **CODE DE VIE** avant le repas. Zut. Je ne sais pas pourquoi, mais notre jeu m'amuse moins cette année.

– « La direction se réserve le droit de refuser toute teinture dont la couleur sera jugée extravagante. Les étudiantes sont invitées à consulter madame Brisebois, la surveillante en chef, avant d'effectuer une teintuuure ! »

Ma mère rit tellement qu'elle s'étouffe.

– Maman, signe ici. C'est correct, les règlements. Y a pas de problème. (Ça me fait capoter quand elle se met à déraper.) J'ai signé, MOI. Siiigneee...

Bon. Elle a fini par signer. Ouf !

Pour ce qui est de mes cheveux, je ne vais jamais changer leur couleur. J'aime trop mes cheveux brun roux. Pour les manifestations AFFECTIVES, je m'en fiche trop. De toute manière, je n'ai pas d'amoureux.

Avec qui je pourrais manifester sentimentalement quoi que ce soit ? Je pense aux gars de ma classe. Franchement, aucune manifestation en vue. Niet. *Nossing*. Le désert. Aucun danger. Ils sont tous plus petits que moi !!!!!

Qui est ma mère (Ève) ?

Ma mère est plus grande que mon père ; elle est mince et a un long nez fin. Parfois, non, souvent, elle est comique sans le vouloir. Elle porte les cheveux gris parce qu'elle est CONTRE – et je cite – « les stéréotypes que la société de consommation impose aux femmes qui doivent se libérer du carcan du paraître », mais elle porte des lunettes rouges trop MODE pour une vieille comme elle. **Ouate de phoque !** Elle a les yeux verts et, malheureusement, elle n'a pas réussi à me les refiler. **Ouate de phoque** au carré !

Ma mère aime la politique, le féminisme, se rebeller contre les règlements pour le simple plaisir de contester, les fabuleuses années **1970**, les **BEATLES**, parler comme un dictionnaire, lire des livres incompréhensibles sans l'aide dudit dictionnaire.

Ma mère déteste cuisiner, coudre, faire le ménage, jardiner, décorer, conduire une automobile, magasiner, me dire quoi faire et quoi manger, se maquiller. Bref, elle déteste tout ce qu'une mère normale aime. Heureusement que Lulu est là.

Ma mère a rencontré mon père (le fils de Lulu) à l'université, pendant une grève étudiante. Mon père a maturé, pas elle.

Ma mère rêve que le gouvernement soit uniquement composé de femmes. Vous avez bien lu, elle *rêve*.

Et Lily alors ?

Lily est ma meilleure amie. On se connaît depuis la garderie de Ma tante Jojo, où on a passé des étés à se lancer des BALLOUNES remplies d'eau.

Lily aime les framboises suédoises ; les autres bonbons lorsqu'elle est en manque de framboises suédoises ; sautiller un peu partout ; rire ; donner des conseils de vie éclairés et efficaces ; l'astrologie ; ses cheveux trop noirs ; ses yeux trop bruns ; ses dents parfaites ; ses oreilles trop petites pour son visage trop rond. Lily aime toutes ses imperfections. Je l'envie pour ça.

Lily est mince comme un fil malgré sa passion pour le glucose. Elle fait donc mentir tous ceux qui prônent le ruminage des saints légumes verts. Elle songe à devenir diététiste pour remettre les PENDULES à l'heure, une fois pour toutes.

Lily déteste les légumes de toutes les couleurs ; sa sœur pour un millier de bonnes raisons. Ce serait trop long de les énumérer toutes. Je fais confiance à votre imagination.

Lily rêve d'être Gretel pour vivre dans une maison en pain d'épice tapissée de tous les BONBONS qui existent sur notre planète. Ça lui éviterait de nombreux allers-retours au dépanneur et lui permettrait peut-être de terminer ses travaux scolaires un jour avant la date de remise.

❀ ❀ ❀

Heureusement qu'il y a l'HEURE du dîner. Je ne sais pas si je survivrais sans. On se retrouve à NOTRE table. La même que l'an dernier. C'est pareil et différent à la fois. Les *Verts* se racontent ce qu'ils ont fait ce matin. Martin a lancé des élastiques. Comme il le faisait l'an dernier contre le prof de math. Cette année, il veut atteindre le prof de géo dans le dos. Les *Verts* rient aux éclats. Martin a failli atteindre la CIBLE. L'élastique a atterri dans la POUBELLE. Troisième jour et il a failli réussir !

Dans ma classe parfaite, personne n'aurait l'idée de lancer des élastiques sur un prof. Et Antoine ne m'a pas encore saluée !

Antoine, c'est un gars avec qui je manifesterais SENTIMENTALEMENT s'il n'y avait pas ce règlement stupide. En secondaire un, on était inséparables. Bon, disons, dans la même *gang*. Cette année, il fait celui qui ne me reconnaît pas. On sortait presque ensemble, l'an passé. Presque. On se regardait. On se souriait. Des fois, on se parlait. Je lui ai fourni des élastiques, l'an dernier. Les élastiques, ça crée des liens. Pourquoi je ne suis pas avec les *Verts* ? Pourquoi ?????

Il reste encore cent soixante-dix-sept jours d'école. OhMonDieu ! On a congé lundi. Ouiiii !

Qui est Antoine ?

Antoine est LE gars. Il est plus grand que Léa (ouf !), costaud, musclé, ses épaules sont larges mais il n'est pas trapu (quel mot laid !), SPORTIF et fidèle à ses amis. Il a les yeux bleu clair ; les cheveux très courts, châtain clair. Ses oreilles ne sont pas décollées, c'est un plus pour un gars qui porte les cheveux très courts.

Antoine n'est pas bavard, crétin, insolent, peureux, trop studieux.

Antoine aime le football, le soccer, le SKI, le patin, la course, la randonnée en forêt, l'escalade, la NEIGE, le tennis, niaiser avec Martin et Guillaume en jouant au PlayStation 3.

Antoine rêve d'un monde où on fait du sport partout, tout le temps. Léa aimerait qu'il rêve moins aux sports et plus à elle.

Et Martin ?

Martin est le meilleur ami d'Antoine. Son cou a poussé plus rapidement que le reste de son corps et ça lui donne l'air d'une BELETTE qui sort de son terrier ou d'une *bobble head*. Il est vif d'esprit, spirituel et c'est un super bon ami. Il ne manque jamais une occasion de rire ou de jouer un tour sans malice.

Martin aime ne pas s'en faire ; ne pas étudier, ne pas obéir, ne pas faire ses devoirs, ne pas respecter le règlement rien que pour voir ce qui pourrait arriver, ne pas lire les romans obligatoires. Il lit plutôt les résumés disponibles sur Internet et cote ces résumés après l'examen. Il n'a jamais accordé une note supérieure à 4/10 à ces résumés. Cette note reflète assez fidèlement ses propres résultats.

Martin rêve de se réveiller dans quelques années, ce long cauchemar enfin derrière lui.

29 AOÛT

Jérémie avait organisé un PARTY pour souligner le début de l'école. (Me semble. Depuis quand on fête le début de l'école ?) TOUT le monde y était. En fait, je sais pas trop. Mais en tout cas, Antoine était là. Il portait un super beau chandail qui laissait deviner ses super **ABDOS** d'athlète ! Lily m'a conseillé de me calmer. À la blague. Mais que personne ne vienne me dire que ce chandail ne le mettait pas en valeur !

En plus, j'ai remarqué quelque chose : Sabine et Jérémie ne se lâchaient pas des yeux. On pourrait même dire qu'ils se *cruisaient*. C'était assez gênant pour nous. Je n'aime pas déranger, disons.

Et Sabine qui me disait qu'elle n'aurait jamais de chum parce qu'elle est laide ! **N'importe quoi !!!** Sabine, c'est notre mannequin national. Rousse, yeux verts, *forte poitrine* (bon, elle en a une, elle, c'est déjà plus que nous...), longues jambes. Seul point négatif : ses BLAGUES sont vraiment nulles. Vraiment. Je pense à lui offrir un Petit blagueur pour son anniversaire. Je veux améliorer ma qualité de vie. En même temps, je pense que les gars se fichent pas mal des filles qui font des blagues très drôles. Une impression.

À la fin du PARTY, avec Lily, je suis allée voir Sabine.

– On dirait que toi et Jérémie, vous vous êtes rapprochés pendant la soirée. Pas mal rapprochés, même.

– Euh... Ça se pourrait...

– Chabine, on veut TOUT chavoir, mâchouille Lily, la bouche pleine de bonbons.

– Je ne sais pas quoi te dire, Lily, RICANE bêtement Sabine.

– Sabine, tu nous déçois un peu, là, j'ai ajouté gentiment.

– Mais j'ai RIEN à dire, bon. Vous êtes VRAIMENT énervantes quand vous voulez.

Ma belle, tu sous-estimes nos talents de détectives, là...

Qui est Sabine ?

Sabine vit dans une maison aux MIROIRS déformants. Ça explique pourquoi elle est convaincue d'être un laideron. Pour vrai, elle a de longues jambes, une longue taille, une poitrine (j'ai déjà donné les détails nécessaires à la compréhension de cette question existentielle), des mains fines, un visage ravissant encadré par des CHEVEUX roux, courts, mais très à la mode. Elle marche comme si elle défilait sur un podium imaginaire. Ce n'est pas un genre qu'elle se donne. Elle est née comme ça.

Sabine aime se maquiller, se parfumer, magasiner, danser, ricaner, chanter de VIEILLES CHANSONS françaises trop démodées, jaser, inventer des blagues nulles, faire des roues latérales et dessiner des vêtements dans ses cahiers quand les cours sont trop plates. Elle a dessiné une garde-robe complète dans son cahier d'ECR[1], l'an passé.

Sabine rêve d'épouser le Prince qui l'attend, au pied d'un arc-en-ciel scintillant, pour l'amener vivre au pays des elfes vert pomme. (Si jamais ma mère-la-féministe lisait ça. OhMonDieu !) Le prince Harry lui semble un excellent prospect. Mais elle se contenterait de Jérémie, en attendant.

30 AOÛT

– As-tu fait signer ton code de vie ? As-tu fait signer ton code de vie ?

---

1. Pour ceux qui auraient fait un long stage sur la planète Saturne, ECR signifie Éthique et culture religieuse.

Ce policier qui sévit dans l'autobus, c'est **PVP**. **Petit-Voisin-Parfait**. Lui aussi, il est en secondaire deux. Il est dans **MA** classe en plus. **AU SECOURS!** Il n'a pas changé depuis l'an dernier. Il se prend encore pour l'adjoint de Brisebois. J'ai été trop naïve de croire qu'il changerait pendant l'été. (La naïveté, c'est un de mes plus grands défauts. Vous ne me connaissez pas encore très bien, mais vous verrez.) Lily me fait sa face désespérée. En échange, je lui fais ma super face découragée pour qu'elle comprenne qu'on pense la même chose. Je me demande ce que son astrologue dirait de **PVP**...

À chaque personne qui monte dans l'autobus, **PVP** lance cette question. Une chance qu'on a un mini BUS, parce que **PVP**, on l'aurait fait taire assez vite.

Qui est PVP ?

PVP – ou Philippe Valois-Pépin pour les membres de sa famille – **est** le gars le plus énervant du monde entier. Il n'est pas très grand, ce qui ne l'empêche pas de se faire remarquer partout où il passe mais pas pour les raisons qu'il croit. Je ne suis pas certaine de la couleur de ses CHEVEUX parce qu'ils sont coupés très court à cause du règlement. D'après lui. On dirait qu'un caricaturiste lui a dessiné un nez trop rond au milieu de son VISAGE encore plus rond. C'est la seule partie de lui qui a de l'humour.

PVP aime son uniforme (surtout sa ceinture, qu'il est le seul à porter parce qu'il respecte le règlement à la LETTRE, **LUI**), donner son avis, donner des conseils à tous les pauvres élèves qui ont le malheur de le croiser, se mêler des affaires des autres, se faire remarquer. Vous avez compris. Comparés à lui, les **nerds** sont vraiment cool.

PVP rêve d'être le CHOUCHOU **D'UN SEUL** prof, pendant **TOUTE** une période. Ce serait le plus beau jour de sa vie. S'il promet de prendre sa retraite à la fin de cette période mémorable pour tous, je peux m'organiser avec le prof d'histoire. Il a l'air humain, ce prof.

Pendant que **PVP** s'excite dans le premier banc, dans le fond de l'autobus, Benjamin, un gars de secondaire quatre, explique que ce qui est important dans le **CODE DE VIE**, c'est ce qui n'est pas écrit. Les règlements ne m'intéressent pas plus que ça, mais j'ai tendu l'oreille. Faut se garder informée. Toujours utile.

– Vous savez, ils en inventent, des règlements. Le code de vie, s'il a l'air raisonnââable, c'est pour qu'on le signe. Mais méfiez-vous de Brisebois. L'an dernier, elle a empêché le cousin du voisin de mon ami de se présenter à l'examen du ministère parce qu'il portait des espadrilles au lieu de ses souliers de ville. Le gars a coulé son année en math à cause de Brisebois. Un autre gars a emprunté les souliers de son chauffeur d'autobus parce que, sinon, il ne rentrait pas dans l'école. Elle fait une fixation sur les souliers, Brisebois ! Si elle vous dévisage les pieds, prudence !

– Tu ne devrais pas rire du code de vie, a crié **PVP**, à partir du premier banc. C'est normal, des règlements.

Pffffffffffff ! L'année va être trèèèèèès longue...

Moi, je pense qu'il exagère, Benjamin. C'est trop cruel, cette histoire de godasses. Mais, en descendant de l'autobus, j'observe Brisebois. C'est vrai. Elle ne nous regarde pas dans les yeux, elle regarde nos souliers. Benjamin a raison. C'est une MANIAQUE. J'entre dans l'école en courant. Une voix venue de nulle part me rappelle *qu'on ne court pas dans les corridors* ! Cette femme a des yeux derrière la tête. Elle fait *foule* peur.

Dans ma case, j'affiche le dessin que j'ai fait hier soir. GREEN 4 EVER ! Lily a dessiné des cœurs autour et on est entrées dans la classe.

Qui est Benjamin ?

Benjamin est un gars prodigieusement ordinaire. Ce qui le caractérise ? Ses sourcils bruns, touffus, toujours en broussaille. Son pire défaut ? Il a les cheveux trop longs **selon Brisebois**. (Les jupes, les cheveux, trop court, trop long... elle est jamais contente !) Sous ses cheveux, les idées les plus étonnantes germent paisiblement. Je ne veux pas qu'il obéisse au règlement et qu'il coupe ses cheveux. Je m'inquiète trop de ce qui pourrait arriver à ses idées HILARANTES, privées de leur paillis protecteur. Elles sécheraient comme une vieille pomme oubliée dans le fond d'une case, c'est certain. Et moi, je serais perdue sans les conseils inusités de Benjamin. Il est tellement au courant de tout. C'est une chance de pouvoir profiter de son savoir.

Hier soir, Lily a espionné notre voisin de case – devinez qui ????????? L'irremplaçable **PVP** lui-même ! – pendant qu'il rangeait sa case. Il classe tout comme si sa vie en dépendait. Il a jeté un œil sur le contenu de NOTRE case. Pour nous dire, une fois son examen fini, que, **d'après lui**, les espadrilles roses n'étaient pas tolérées en **GYM** ! « Ça peut vous éviter un billet blanc, les filles », qu'il a ajouté gentiment. Puis il nous a conseillé de nous dépêcher si on ne voulait pas manquer l'autobus.

Ouate de phoque !!!!!!!!!!!!!!!! Brisebois est plus cool que lui. **OhMonDieu !** Je ne pensais jamais dire ça un jour ! Et je n'exagère même pas.

À la récré, j'ai vu Antoine de dos. Il a un beau dos. Un méga beau dos, je dirais. Je n'ai pas pu le voir de face, il est entré aux TOILETTES avec Guillaume pendant que Brisebois me regardait d'un air un peu trop soupçonneux. On ne peut rien faire dans cette école.

Qui est Guillaume ?

Guillaume est le gars le plus gentil de l'école. Il est serviable et **RIGOLO**. Il n'est pas grand, il n'est pas gros, il n'est pas musclé. Il coiffe ses cheveux courts comme la houppe de Tintin, mais il a besoin de gel (chez Tintin, c'est naturel, je crois). Quand il me fixe avec ses **YEUX** brun foncé, je suis convaincue qu'il décode mes secrets les plus obscurs. (Quoi ! Moi aussi, j'en ai. Pas vous ?)

Guillaume aime danser ; la musique de toutes les époques pourvu qu'elle soit bonne ; jouer au mississipi pendant l'HEURE du dîner ; rire avec Martin et Antoine ; son vélo rouge et argent ; sa boule **DISCO**.

Il y aura des élections pour choisir un représentant de classe. Ma mère m'a suggéré de me présenter. Elle délire. Moi, présidente de la classe des *non Verts* ? Personne ne va voter pour moi. Je suis trop *Verte* dans l'âme. Je lui ai dit que ça ne m'intéressait pas vraiment.

Elle s'est lancée dans un discours sur l'engagement et qu'il faut s'impliquer et que l'école c'est bien quand on participe et qu'il n'y a pas que les *Verts* dans la vie et que je suis capable et que j'ai toujours de bonnes notes en EXPRESSION orale. Tout ça sans reprendre son souffle. Elle m'a aussi ressorti ma suuuper performance en atelier musical lorsque j'avais trois ans. Elle m'a presque convaincue !

J'ai parlé de cette iDÉE à Lily. Qui a trouvé ça génial. Le délire, c'est contagieux ou quoi ? Elle m'a dit que ça impressionnerait Antoine. Le délire au cube. Antoine n'a même pas l'air de savoir que j'existe, alors ce qui m'arrive, il doit vraiment s'en préoccuper. Il n'en dort plus, genre.

– Tu as la semaine pour y penser, m'a dit Lily.

C'est tout pensé, que je me suis dit. Je vais donc avoir plein de temps libre.

Je descends de l'autobus avec Lily. PVP est déjà entré dans l'ÉCOLE. Il ne traîne pas sans raison, lui ! Elle me demande si j'ai pris ma décision, si je vais me présenter.

– Pas sûre. Je vais voir...

– Voir quoi ? Tu vas le regretter toute ta VIE si tu ne fais rien !

– Lily, tu parles comme ma mère. Depuis quand tu trouves que ma mère a raison ?

– En tout cas...

En rentrant dans la classe, nous entendons **PVP** qui s'époumone : « Votez pour moi, votez pour moi !!! J'aime ça parler ! Votez pour le meilleur. MOI ! »

Pffffpffffffff. Le meilleur. Il est le seul à se présenter. Il nous casse tout le temps les pieds avec ses remarques « pas rapport » et ses questions auxquelles les **profs** ne répondent même plus. (Et ça fait juste deux semaines que l'école est commencée. Vous voyez le genre ?) On le sait, qu'il aime ça parler. C'est justement pour ça qu'on ne votera pas pour lui !

Lily me dévisage. Elle se rapproche de moi avec un air sérieux et chuchote :

– Tu vas vraiment le laisser faire ? Bra-vo !

Elle a raison, Lily. On a beau avoir une classe modèle, on ne peut pas avoir un président *parfait* en plus. Un malheur, c'est assez. Je serai donc la porte-parole de **Brisebois**, Madame-je-surveille-vos-souliers-parce-que-j'ai-pas-de-vie. (Ouais.)

Je dois sauver ma classe et me présenter aux élections. Même si ma mère sera fière de moi. Même si je risque d'avoir des réunions avec Brisebois à l'heure du dîner. On ne peut pas tout avoir. Pourquoi je dis ça, au fait ? Pourquoi on ne pourrait pas tout avoir ? Qui a décidé ça ? Bon, c'est pas tout, faut que je me BRICOLE un discours. Qu'est-ce que je vais dire ? Ou ne pas dire. Je serai votre voix auprès de madame Brisebois. C'est bon ça, je ne devrais pas avoir l'air trop folle... ou fou ? (Je sais jamais comment appliquer cette règle !) Folle, folle. Avoir l'air folle.

Après une **chaude** lutte (décompte final : 25 à 2), j'ai été élue présidente des *non Verts*. Quand il m'a félicitée – il est vraiment parfait je vous dis –, **PVP** retenait ses larmes en grimaçant comiquement. Moi, j'étais renversée. On m'aime tant que ça chez les *non Verts* ? Comment annoncer ça à ma mère maintenant ?

Je savais que ma mère capoterait. C'est pour ça que j'avais décidé de ne rien lui dire. Ça ne la regarde pas vraiment. Quand elle m'a demandé ce qu'il y avait de neuf, j'ai dit « rien », sur le même ton que d'habitude.

C'est quand ma mère a répondu au **téléphone** que ça s'est gâté. Lily a demandé à parler à la présidente de la classe... Je n'ai pas laissé ma mère me questionner. J'ai déclaré que ma vie ne la regardait pas et j'ai claqué la porte de ma chambre. J'étais même pas fâchée. Je voulais juste qu'elle comprenne que je veux une vie privée à moi. Des fois, je me dis que c'est trop demander.

15 SEPTEMBRE

10 h 30. Cours de gym. Lily et moi portons nos espadrilles **ROSES**, celles qui nous vaudront le billet blanc de la honte totale. (C'est une blague !)

CAPORAL PVP nous dévisage les pieds depuis le début du cours en nous adressant des mimiques scandalisées. Complètement cinglé... J'aimerais trop qu'il nous dénonce.

– Aujourd'hui, c'est la course de 2 km. J'espère que vous vous êtes exercés cet été parce que les grilles d'évaluation ont changé. Vous n'êtes plus au primaire. Vous êtes au secondaire, maintenant. Et en secondaire deux, c'est encore plus dur !

Même si elle porte des espadrilles rouges (!!!) trop COOL, madame Bilodeau promène sur nous ses petits yeux cruels en jouant avec son éternel SIFFLET noir. Comme elle est petite mais très musclée, on a pas envie de l'obstiner, genre. Surtout quand elle fait mentalement le décompte des élèves qu'elle fera pleurer, de ceux qu'elle fera couler et de ceux qui sont simplement nuls. Pas besoin qu'elle le dise. On sait lire entre les lignes...

La course en pleine nature. Une méga course où les profs de gym nous évaluent. Lily et moi, on a bien tenté de s'exercer cet été. Oui, oui, on a vraiment essayé. On s'était fait un plan. Un beau PLAN avec des cœurs dessus. À la fin de l'été, on devait courir sur une distance de 3 km et battre des records. Six minutes max. Antoine aurait été en admiration devant moi. Je lui aurais expliqué mon plan et là, de fil en aiguille...

Rappelez-vous. Il a fait très chaud, cet été. Trop chaud pour courir, franchement. Je suis allée au chalet de mon oncle Jean-Paul à Saint-Tite. Là, je me suis baignée. Quand il y a un lac, on se baigne dedans, on ne court pas autour. Lily est allée se faire piquer par des maringouins dans les Laurentides. On s'est baignées chez elle en mangeant des **Mr Freeze** aux cerises. On a épié Push-Push à Maringouins, le moniteur trop beau du camp de jour. (Il a une vie *foule* plate.) Lily est tombée AMOUREUSE du moniteur de tennis qui n'en a jamais rien su. (Lui aussi, sa vie est assez plate.) Sabine est venue chez moi et on a regardé des films en mangeant des GUIMAUVES.

En tout cas. On a couru une fois et on était trop essoufflées. Tous les voisins nous regardaient tellement *croche*. On a décidé d'arrêter ça. Vous aimez ça vous faire regarder *croche*, vous ? Bon, je le savais.

Aujourd'hui, je me dis que, **peut-être**, on aurait dû se ficher des voisins qui regardent *crochement* les jeunes qui s'exercent à la course. Pour éviter d'avoir l'air de deux *nerds* qui finissent leur course quinze minutes après tout le monde, genre. Toutes rouges, pas capables de parler, pendant que les autres les attendent, assis dans l'herbe, un petit sourire insolent accroché aux lèvres.

– Léa ! Fille, le 2 km, c'est aujourd'hui. Sur la Terre, pas sur la planète Mars !

Quoi ???????? Bilodeau m'a crié dessus en m'appelant fille ! En plus, elle se trouve drôle. Et Lily qui ricane. Des fois, elle...

Oh ! Que ça commence mal. Se mettre Bilodeau à dos au début de l'année. Pas fort, madame la présidente. Vraiment pas fort !

Bon, je dois avoir l'air concentrée. Ça va. Faire des étirements. Avoir l'air sérieux... ou sérieuse ? Vérifier mes lacets. Sautiller en prenant un air sportif.

– Sur le parcours, il y a un Y. Vous passez à droite du drapeau rouge. Pas à gauche. **À droi-te.** Vous êtes tous capables de distinguer votre droite de votre gauche ?

Je suis avec Lily sur la ligne de départ. Bilodeau siffle. On **PART**. Tout va bien. Je ne suis pas trop en retard. Je ne me fais pas trop dépasser. C'est correct. **PVP** me dépasse et m'encourage. Qu'est-ce qui lui prend, à **PVP** ? Pourquoi moi ? Je fais pitié ? J'haïs ça, faire pitié. (Un *nerd* qui me dépasse. Je vais MOURIR de honte avant la ligne d'arrivée. Tiens ! c'est bon, ça ! Au moins, j'éviterai l'humiliation publique.)

Je ne **PENSE** plus. Je veux seulement finir. Lily est pas mal en avant. Ne pas terminer la dernière. Pas la dernière.

Je vois le Y. Je vois le DRAPEAU ROUGE et je prends à droi-te. Il y a deux personnes en avant de moi. C'est bon. J'ai un point sur le côté mais c'est pas grave. Je continue. Il y a trois personnes derrière moi. Ouf. Ne pas me laisser dépasser. Pas la dernière. Pas dernière.

Enfin, j'arrive. Je ne suis pas la dernière. Ils sont quatorze à attendre. Je suis la quinzième. Et il en manque encore. Où sont les autres ? Bilodeau commence à s'énerver. Moi aussi, je regarde partout et je ne vois pas Lily. Où est-elle ?

✿ ✿ ✿

– T'étais où ? ai-je demandé à Lily.

Nous sommes tous assis à NOTRE table, à la café.

– J'ai pris le mauvais CHEMIN...

– T'as pas vu le drapeau !!!!!!!

– Moui, j'ai vu un drapeau. Il était pas vraiment rouge. Il était un peu orange, je dirais.

ORANGE ! Là, tout le monde a éclaté de rire. Martin et Antoine en pleuraient. Ils ont fait des blagues nulles sur les filles. Lily a pouffé de rire.

– Bilodeau était tellement en colère. Elle nous a dit qu'on lui avait fait trop honte. « Je ne sais pas comment vous punir », elle a dit. Zéro, c'est déjà pas pire comme punition, je trouve. Ma mère va me tuer...

J'ai serré le bras de Lily. Je connais sa mère.

Martin et Antoine ont raconté qu'ils n'avaient pas envie de faire le 2 km, ce matin.

Antoine a tout de même terminé cinquième. Moi qui allais me vanter parce que je n'ai pas terminé au dernier rang. J'ai rougi (j'haïs ça, rougir en public. Surtout devant LUI) et je me suis tue. Antoine était assis en face de moi et m'a regardée croche. 😳

17 SEPTEMBRE

C'est quoi, cette coccinelle sur le frigo ? Trop laide. C'est quoi le papier sous la COCCINELLE trop laide ? C'est pour moi. De ma mère. « Rappelle madame Stéphanie. Ce soir. Elle cherche une gardienne pour samedi. »

Gloup. Aller garder des enfants que je ne connais pas. Je ne connais pas cette madame Stéphanie. Je ne connais pas ses enfants. J'aime pas ça.

OK, elle a une fille âgée de neuf ans. Marika. Elle est gentille, obéissante. Elle adore jouer dehors, regarder des films, lire. J'imagine. Quelle mère appelle une nouvelle gardienne en lui disant que ses enfants sont des démons et qu'ils vont lui casser la tête pendant une soirée ? Elle vit à deux coins de rue de chez moi. C'est ma tante Johanne qui lui a parlé de moi. Je serai chez elle à 16 h demain. Zut. Je vais manquer *Les frères Scott*. Les gars sont super méga beaux dans cette série. Pas comme les gars de ma classe. Petits et tous tellement laids.

18 SEPTEMBRE

– Je vais te montrer ma salle de jeux. Tu vas voir, elle est vraiment cool.

Madame S est partie depuis trente secondes à peine. Marika me traîne de force dans sa salle de jeux supposément super fabuleuse. WOW. Elle n'est pas super fabuleuse. Elle est super méga mirifique. C'est une maison de poupées grandeur nature. Tout en rose, comme si on était des Barbies vivantes. Je capote. C'est **TROP BEAU**. Quelle chance de garder cette belle Marika-qui-a-la-plus-belle-salle-de-jeux-du-monde-entier-et-peut-être-même-plus.

– Tu veux jouer aux Barbies ? demande Marika.

– Bien sûr (je dis ça d'un ton adulte, mais enjoué). Je prends celle qui a les longs cheveux noirs.

– Tu sais, la rousse est belle aussi. Tu devrais la prendre. C'est ça, tu prends la rousse.

Je ne m'obstine pas avec ma nouvelle amie Marika. Après tout, c'est une poupée. Rousse, noire, c'est pareil. Je suis la plus vieille. Faut bien que ça paraisse.

– On va dire qu'on va au bal et qu'on se prépare. Tiens, ma Barbie Gwendoline va porter cette longue robe jaune avec des marguerites piquées dans le bas.

Elle est trop belle, cette robe. Je suis vraiment épatée. Les Barbies de Marika ont une garde-robe d'enfer. ***Gwendoline***, c'est bien comme nom. C'est noble.

– On va dire qu'elles vont au cinéma et que son nom c'est pas Mandoline (???), mais Charmantia. Ça, c'est mieux. Bien mieux.

Charmantia ?? Elle me niaise ou quoi ??? Char-man-tia. **OUACH !** C'est quoi ce nom ?

– Ah ! C'est vrai que c'est mieux... OK, je m'appelle Charmantia. C'est... charmant. Tu es certaine qu'on va au cinéma ? C'est vraiment moins chic qu'un bal, le cinéma. Pas chic du tout, même. Bon. Va pour le cinéma. Tu as de super bonnes idées, Marika. On va dire qu'on va voir *Twilight*.

Bien joué. Je vais pouvoir rêver au bel Edward Cullen, en attendant de voir le prochain film en vrai. Je suis trop forte.

– Eeeuh ! As-tu vu le film *Barbie au bal des douze princesses* ? C'est vraiiiment bon.

– Non. Je ne le connais pas, mais d'accord. On va dire ça. Je te laisse le raconter.

– Je vais pas le raconter. On va le regarder à la télé. J'ai le DVD !

Ouate de phoque ! Je suis prisonnière d'une vraie maniaque et elle va me torturer avec un DVD nul.

– Ça dérange pas ta mère que tu écoutes un DVD le *soir* ?

Je me trouve plutôt bonne. Ça devrait marcher.

– Je fais tout le temps ça, écouter des DVD le soir. Même le jour.

Je comprends pourquoi ta mère te fait garder, ma belle. Elle ne veut pas virer folle.

– OK, on va écouter *Barbie au bal des... princesses*. On va dire qu'on s'habille en princesses pour le film.

– Ça serait mieux qu'elles s'habillent en ado jeune.

Une ado jeune. Et quoi encore ? Bon, il va falloir que je prépare le repas. Dans la cuisine. Loin de *Barbie*, des princesses et de Marika-la-maniaque. Jouer pendant deux heures, ça ouvre l'appétit. Mes yeux se tournent vers l'horloge où les bras de Barbie indiquent l'heure. **Quoi ?** Ça fait dix minutes que je suis dans cette salle de jeux. **Dix looooooooooongues** minutes. Je retiens un soupir et fais gigoter Charmanchose qui porte un **jean** ado jeune et des sandales roses à talons hauts.

Le reste de la soirée s'est déroulé dans la salle de jeux. Marika a décidé de tout, contrecarrant chacune de mes propositions. Elle s'est endormie à 21 h 30. Je termine la soirée en lisant mes notes pour l'examen de **GÉO** de mercredi prochain.

Samedi soir. Je suis prisonnière. J'étudie la géo. J'ai tellement pas de vie.

– Ça s'est bien passé, Léa ? Marika a été sage ?

– Ouiii, un petit ange. Vraiment bien. Pas de problème. (Je déteste mentir, mais elle connaît ma tante Johanne. Mon ton de voix doit être vraiment nul.)

– Je peux te rappeler ?

Je **SERRE** très fort les trente dollars qu'elle vient de me donner. Ça m'inspire.

– Oui, pas de problème. Ça va me faire plaisir. Elle est tellement attachante, Marika.

Je reviens à la maison en courant. Je me sauve, en fait. Tellement attachante. C'est n'importe quoi. Contrôlante serait plus exact. J'ai passé la PIRE soirée de ma vie. Pire que celle où j'ai eu une gastro fulgurante. Et sa mère va me rappeler. Et j'ai dit oui. Pathétique.

– N'oubliez pas. Demain, c'est la photo de classe. Vous devrez porter une chemise, pas un polo. Vous devrez porter des souliers, pas vos espadrilles. (J'entends des ricanements dans le fond de la classe. Je ne veux pas savoir qui se moque de l'obsession de Brisebois pour les souliers.)

Je retourne m'asseoir. Lily donne un coup de pied sur ma chaise. Elle me fait un clin d'œil tellement subtil que toute la classe l'a sûrement vu. Puis elle se met à glousser. Comme une DINDE. Au fait, elles gloussent, les dindes ??????

Notre titulaire nous regarde. Rien qu'à l'observer, c'est assez évident qu'il n'a rien trouvé de drôle dans le communiqué de Brisebois. Je fouille dans mon coffre à crayons. Où est mon super crayon Hello Kitty ? (J'ai vraiment l'air *foule* absorbée – absorbé ? – par mes fouilles archéologiques.)

– Prenez votre Galileo, page 34. Dépêchez-vous. On est en retard sur les *Verts*.

On est en **RETARD** après deux semaines de classe. Me semble. Notre classe est ZE classe modèle. Pourquoi les profs nous comparent-ils toujours aux autres ? À quoi ça sert d'avoir un sourire *foule* charmeur si, quand on ouvre la bouche, c'est pour faire des reproches ?

Il fait beau ce soir. J'aimerais aller au parc, rien que pour voir qui est là aussi. Je suis coincée dans ma chambre, à réviser pour l'examen de géo. Martin m'a soufflé quelques questions.

Une chance, parce que je n'aurais jamais appris tous ces détails par cœur. Que signifie OPEP ? **Ouate de phoque !** (Qu'est-ce qu'une catastrophe naturelle ? Le cours de géo !) Nomme un pays membre de l'OPEP. Bon, c'est assez clair, je vais couler le premier examen de l'année.

C'était Lily. Elle a oublié son livre de géo et j'ai dû lui dicter les définitions des concepts à apprendre. On a pris le temps de jaser aussi. De Sabine. Elle est amoureuse de Jérémie. Mais elle ne veut surtout pas qu'il le sache. (Je la comprends tellement. C'est personnel, les affaires de cœur.) Elle l'a annoncé à Valérie sur MSN (Ce n'est **même pas** son amie !), qui a téléphoné à Lily, qui vient de me le répéter. Mauvaise idée, se confier à Valérie. À moins que Sabine ne souhaite que toute l'école soit **AU COURANT** en moins de deux heures. Dans le fond, c'est peut-être ce qu'elle espère. Quand j'ai dit ça à Lily, elle m'a répondu que je me trompais complètement. Lily est trop naïve, faudra que je lui dise.

Qui est Jérémie ?

Jérémie a de très grands pieds. C'est pratique pour nager. On dirait que c'est moins pratique pour jouer au SOCCER, sport pendant lequel il réchauffe le banc en buvant une BOISSON énergisante pour avoir l'air intense. Son air insolent de style rappeur frimeur cache assez bien sa timidité. Brisebois dirait de lui que c'est un bon petit gars dans le **fond**. Le fond de quoi ??? On le saura jamais !

Jérémie aime les filles ; la pizza ; les films d'action ; Guitar Hero, son vieux Game Boy (c'est un secret), Super Mario Bros (un autre secret), son iPhone, MSN, le CAFÉ, se coiffer comme Justin Bieber (**Ouate de phoque !!!**) et sa chatte TI-BRIN.

Jérémie rêve... Il ne rêve pas, c'est un vrai gars, bon.

Notre titulaire est absent aujourd'hui. Bon choix, c'est le jour de la photo de classe. Son sourire *foule* charmeur va me manquer. Pendant que nous nous déployions sur trois rangées, les-grands-en-arrière-s'il-vous-plaît (ce serait öriginal, pour une fois, qu'on nous CORDE en avant pour cacher les petits ! Comme ça, on ne verrait pas la face à claques de **PVP** ! Ce serait presque triste. ☺), Brisebois est entrée et s'est placée à la gauche du groupe, les bras sévèrement croisés sous sa poitrine.

Une dernière inspection des godasses, sans doute. Mais j'ai encore tout faux. Elle se fait photographier avec nous !!!! Je vais garder le souvenir de Brisebois pendant toute ma vie. Mes enfants vont regarder cette photo et me demanderont le nom de mon prof de secondaire deux. **OhMonDieu !** La journée commence vraiment mal. C'est un signe. Je vais sûrement couler mon test de géo.

– Antoine a levé les deux pouces juste au moment de la photo. On a tellement ri. Ce sera la meilleure photo d'école de notre vie ! a hurlé Martin en déposant son cabaret sur NOTRE table.

Ils ont tellement de plaisir dans cette classe. Ils ont toujours des idées pour que l'école soit moins plate. Rien de méchant. Juste drôle. J'en ai profité pour parler à Martin de ses fameux TUYAUX au sujet du test de géo. Pas de trace de l'OPEP, ni des pays membres, mais des cartes géographiques dont le prof n'a JAMAIS parlé en classe. D'accord, elles étaient dans le livre. Mais je n'ai pas pensé que c'était SI important. Je me suis concentrée sur l'OPEP.

– Tu m'as cru ? Léa, tu es vraiment plus poisson que je pensais.

Martin s'est écroulé de **RIRE**. Toute la *gang* a suivi. Même Lily riait. Elle aussi, elle s'est payé l'OPEP. Pourquoi elle rit de moi ? Elle aussi, elle est tombée dans le PANNEAU. Comme d'habitude, je ne trouve rien à répliquer sur-le-champ. Les idées me viendront dans l'autobus, ou mieux, ce soir. En attendant, je rougis bêtement. Pendant que je rougis, je lève les yeux sur Antoine. Il ne rit pas ? Il avait l'air désolé de celui qui compatit. **OhMonDieu !** Il est tellement beau quand il compatit.

26 SEPTEMBRE

Huitième cours de ***cheerleading***. Je ne me rappelle plus si je vous l'ai dit mais je danse depuis cinq ans. Cet automne, j'ai laissé la danse pour faire partie d'une équipe de *cheerleading*. Je ne sais plus trop pourquoi, finalement. Je devais avoir envie de changer d'air. Et puis, c'est un sport complet. De la gymnastique et des chorégraphies et des acrobaties et de la danse. L'esprit d'équipe. Les voyages aux États-Unis. Les compétitions, les CHAMPIONNATS, les trophées. Trop chouette, tout ça.

Huitième cours. Nous faisons des étirements. Encore. Nous avons été scrutées, observées, évaluées et classées. Je suis *back*. Celle qui est en arrière de la PYRAMIDE, cachée par toutes les autres filles. Celle qui tient les chevilles de la monteuse et qui s'assure qu'elle ne TOMBE pas par terre après sa pirouette dans les airs. Ça prend des qualités exceptionnelles pour être *back*. Être plus grande que les autres semble être la plus importante. Comme je suis la plus grande, c'était vraiment utile de m'observer pendant trois semaines ?

– On commence la chorégraphie aujourd'hui ? je demande à l'entraîneuse, d'un air motivé.

Elle me **REGARDE** *foule croche*. J'ai dit quelque chose de mal ? Si la danse fait partie du *cheerleading*, il faut commencer à apprendre la chorégraphie, non ?

– On va pratiquer des figures. Pour celles qui se demandent quand on commencera la chorégraphie (elle me regarde de travers), ce sera quand le groupe sera complet. Il manque six membres dans le groupe. Je vous montrerai la chorégraphie quand vous aurez recruté six nouvelles filles. Parlez-en à l'école. Parlez-en à vos amies. OK. En place tout le monde. Trois. Deux. Un.

Il manque des filles ? Première nouvelle. On est déjà vingt-quatre dans l'équipe. Les évaluations sont finies et il faut recruter d'autres personnes ? C'est quoi, ces règlements sortis de nulle part ? C'est pire qu'à l'école. On est ici pour S'AMUSER. Je m'amuse de moins en moins. En fait, je ne m'amuse pas du tout. Je ne suis pas éclaireuse, moi. Je suis une *Danseuse*. C'est pour ça qu'on m'a recrutée. Pour ma grande taille aussi, à ce que je vois.

En plus, tenir des chevilles derrière une forêt de jambes, franchement, ce n'est pas l'idée que je me faisais du *cheerleading*. Ni du SPORT, d'ailleurs. Il reste une heure avant la fin. J'en ai marre. **OhMonDieu !** J'ai failli échapper la monteuse. Qui m'engueule. C'est la première fois qu'elle voit que j'existe et qu'elle m'adresse la parole. Est-ce que ça va finir, cette pratique ?

Je lance mon SAC de sport dans le fond de l'auto et je claque la porte. Je n'ai rien à dire pendant que ma mère jacasse. Est-ce trop demander, un peu de silence ? Comment lui annoncer que je déteste cette activité ? Elle va me **TUER**. Ensuite, j'aurai droit au sermon sur l'engagement et la persévérance et qu'il faut aller au bout et que c'était mon idée et qu'elle me l'avait bien dit. Pas ce soir. Je n'ai pas envie d'un sermon ce soir.

Alors, comment ça a été ?

– Il faut recruter six autres filles pour que l'entraîneuse nous présente la *choré*. Il manque de monde. C'est trop nul !

– Je ne comprends pas. VOUS devez recruter des nouveaux membres ? Explique-toi.

– Je te répète ce qu'elle a dit, c'est tout. Elle n'a pas donné de détails !

Ma mère est silencieuse. Enfin.

Hier soir, j'ai envoyé un courriel à Roxanne pour avoir des nouvelles de mon ex-troupe de DANSE. Les filles ont terminé le numéro d'ouverture. Pendant que je recevais des espadrilles et des insultes dans la figure, elles ont appris un numéro. La semaine prochaine, elles vont danser sur THRILLER. C'est de la musique *foule* ancienne, mais Roxanne m'assure que c'est quand même très chouette. Quand j'ai vu le clip sur YouTube, j'ai vraiiiment capoté. Je vais manquer ça ! Pourquoi j'ai laissé la troupe ? Pourquoi ???

Lily m'a invitée au cinéma et j'ai refusé. Pas envie. Je préfère regarder *Thriller* et lire. Un autre samedi soir pathétique.

Cote du week-end : -5/10. Le ***cheerleading*** . La chorégraphie de mon ancienne troupe de danse .

La pause de 10 h 15. Lily et moi sommes aux TOILETTES. Le repaire des filles. Je lui raconte ma soirée *cheerleading*. Elle m'a écoutée mais elle n'a aucune idée sur ce que je devrais faire. Puis elle m'a raconté sa sortie au cinéma en détail. Qui était là. Qui n'était pas là. La place où ils se sont assis. Ce qu'ils ont dit. Les bonbons qu'elle a mangés. Les passages du FILM qui étaient vraiment trop drôles. Je faisais mille grimaces pour ne pas bâiller. Je pouvais pas lui dire que sa tranche de vie était trop endormante. Quand elle m'a demandé si j'allais bien, j'ai paniqué. J'ai dit que j'avais mal aux DENTS. Heureusement, Sabine est sortie de sa cabine avant que Lily ait pu réagir. Ma *BFF*[2] m'a jeté un *subtil* coup d'œil complice.

– Sabine ! Comment ça va avec Jérémie ?

– Je l'aime ! Il est tellement beau.

– Lui as-tu parlé ? a demandé Lily avec beaucoup de clairvoyance. (Son cyber-astrologue l'influence.)

– Non ! Je suis trop gênée... Je vais essayer de m'asseoir à côté de lui demain midi.

– Franchement. Faut que tu lui dises quelque chose. Aujourd'hui. N'importe quoi, j'ai ajouté, un peu déçue par son manque d'initiative.

– Les filles, si vous avez fini, il faut sortir. Vous êtes ici depuis onze minutes. Ce n'est pas un salon étudiant. Sortez.

Madame Geoffrion tient la porte de la salle de bains grande ouverte. C'est TELLEMENT gênant. Aucune intimité dans cette école. Elle tape du pied en

---

2. *Best friend forever* ou meilleure amie pour toute la vie et même après. J'en ai une. J'ai de la chance !

plus. Pas le choix, faut sortir. Elle a vraiment minuté notre séjour dans la salle de bains ? C'est trop pathétique. On ne dérange personne. On veut juste avoir la paix.

La journée a passé sans que Sabine dise un seul mot à Jérémie. Lily et moi, on va s'en CHARGER. Je ne sais pas comment, mais on va faire quelque chose.

Ma mère est encore revenue sur la question du *cheerleading*. Elle n'aime pas ça. (Pourquoi elle n'a pas insisté quand je me suis inscrite ? Aucune idée. Pour que je prenne mes décisions en adulte, je parie.) Elle trouve que ça perpétue le stéréotype de la femme-objet (hein ?!?!), que c'est tellement dégradant (de mieux en mieux) et tout et tout. Ce soir, je lui ai dit que je voulais arrêter. Elle m'a encouragée ! Encouragée !!!! **TOUTES** les mères auraient dit qu'il faut persévérer, que je suis une lâcheuse, et blablabla. Ma mère m'approuve. Je suis pas mal mêlée. Je ne sais plus quoi faire. C'est peut-être pas si épouvantable que ça, le *cheerleading*. On va bien finir par l'apprendre, cette chorégraphie. Les autres filles m'adresseront la parole un jour. Peut-être pas celle que j'ai échappée par terre, mais les autres. Je fais des étirements avant de me COUCHER. Je pense à Antoine. Il va peut-être me parler demain.

30 SEPTEMBRE

Cette année, il faut apprendre l'espagnol. Comme si ce n'était pas assez d'apprendre l'anglais. Parce que l'espagnol est une langue très populaire en Amérique et que les Européens parlent plein de langues et que nous, on fait dur à côté d'eux.

Le seul mot espagnol que je connaissais était *baños*. Salle de bains, si vous préférez. Souvenir d'un voyage à **Punta Cana**. Je n'aurais pas dû manger des fruits de la passion en grande quantité.

Ce matin, le professeur nous demande de lire le magazine *Ahora*. À tour de rôle. Comme au primaire. Quand cesseront-ils de nous traiter en enfants ? Le professeur nous encourage à y mettre du piquant. *¡ Muy picante !* Plus de **piquant**.

Petit-Voisin-Parfait prend la parole. Le professeur voulait du *picante*, il va en avoir. **OhMonDieu !** **PVP** est parti pour la gloire : des gestes, des intonations et des mimiques. *Foule* sérieux, en plus. Je croyais qu'une *cucaracha* – vous êtes témoins de mes progrès fulgurants – lui chatouillait le dos. Le professeur estomaqué lui demande de se calmer. Moins de *picante* ! (Ce serait bien si les profs étaient moins girouettes. Il en veut ou pas, du *picante* ? Faudrait savoir.) Pendant que chacun lit son bout de phrase en essayant de plaire à la *girouetta*, je regarde les cœurs qui DANSENT sur l'affiche. Je pense à A. Sans le savoir, il met du *picante* dans le cours d'espagnol. *¡ Muy picante !*

❀ ❀ ❀

À la récré, j'ai souligné que ma vie était *foule* plate. (Le mois de SEPTEMBRE est presque fini et, vraiment, rien n'a bougé.) Découragée de moi, Lily s'est empressée de me rappeler le SECRET de sa coolitude : son cyber-astrologue ! Il est super épatant, selon elle : « Il voit ce que personne ne voit. On a l'impression qu'il s'adresse à nous directement. Il est extralucide. » Bon. Je suis preeeeeeesque convaincue. Je vais le consulter. Mais juste pour lui faire plaisir...

Amours : Il y a des moments dans la vie où il faut prendre sa vie en main. (Pas lui aussi ! Ma mère n'arrête pas avec ça !) Soyez patient. (Je ne fais que ça, être patiente. C'est pas un conseil, ça !) **Amitiés :** Vous pourrez compter sur vos amis lorsque le vent tournera. (Quand ça ? Pourquoi le vent tournerait ? Dans quelle direction ? Il travaille pour MétéoMédia ? Je ne comprends rien à cette prédiction.) **Finances :** Vous réfléchissez à un projet qui vous tient à cœur. (J'ai un projet, moi ? Celui qui me tient à cœur n'a rien à voir avec la finance...) **Famille :** La mer est calme, il faut en profiter.

RÉSULTAT DE MA CYBER-CONSULTATION ????????

BOF...

Où il est question
de l'Halloween,
de Ouija et d'un
magnétoscope
diabolique

1er OCTOBRE

Pendant le cours d'anglais, je dessine des petites CITROUILLES dans mon agenda. Leur pédoncule vert et frisé est vraiment bien réussi. Une pour chaque jour. Puis Chloé m'a refilé son agenda pour que je fasse la même chose. Je suis devenue la *Pumpkin's Queen*. Remarquez que je réfléchis en anglais pendant que je dessine pendant le cours d'anglais. C'est un détail qui a son importance, je crois.

La prof nous a donné du temps pour lire le livre que nous présenterons à la classe dans deux semaines. Compétence évaluée : *Oral presentation*. J'ai choisi *Bras and Broomsticks* de Sarah Mlynowski. Vraiment bon. Des fois, j'aimerais être comme la sœur de Rachel. Disposer de pouvoirs magiques pour jeter un sort à . Même si c'est tellement déconseillé parce qu'il ne faut pas utiliser la magie pour son propre profit parce que ça peut perturber le continuum espace-temps ou quelque chose dans ce genre-là. Dans la vraie vie, la rupture du continuum espace-temps, on s'en fiche.

J'ai oublié mon livre à la maison, ce qui m'a libéré plein de temps pour **dessiner**. Comme je ne dérangeais personne, la prof m'a laissé faire. Elle est vraiment zen. En plus, elle porte toujours des vêtements super CHOUETTES.

À la récré, Jérémie se dirige vers la salle de bains. Lily et moi, on le suit. Brisebois surveille le corridor. Alors, il faut faire preuve de discrétion. On se poste près de la porte et on fait semblant de se dire des choses intenses. Brisebois s'apprêtait à intervenir quand un cellulaire a braillé un air de Justin Bieber. Sa deuxième fixation : les cellulaires. Son rêve ? Les éliminer de la surface de la planète. Elle décolle en direction de la sonnerie suspecte. Justin Bieber. Beurk ! C'est n'importe quoi !

– Jérémie, faut qu'on te parle ! a crié Lily, toute excitée.

La reine de la discrétion vient de s'exprimer.

– On veut te dire quelque chose à propos de Sabine. Quelque chose qu'elle ne veut pas te dire elle-même parce qu'elle est trop gênée pour ça. On la comprend, c'est *foule* gênant, ces histoires-là.

Lily tourne en rond comme un hamster dans sa petite ROUE.

– Bon, Jérémie, Sabine te trouve de son goût, j'ai chuchoté en regardant autour de moi.

– Elle a raison, a dit Jérémie à la blague.

– Sois sérieux deux secondes, Jé. Toi, tu la trouves comment ? a enchaîné Lily, très sérieusement.

– Pas pire. Allez pas lui dire ça, là. C'est mon jardin secret...

HEIN ??? Depuis quand il parle comme les magazines de ma grand-mère, lui ? En plus, il a un drôle d'air. Pas son air de rebelle-qui-s'en-fiche-tellement. Dites-moi que je me trompe, mais il a l'air du gars qui aimerait qu'on parte en courant pour aller tout raconter à Sabine. Mets-en qu'on va le faire ! Parce que c'était NOTRE plan de toute façon. Pas parce qu'il nous manipule. C'est nous qui menons le jeu. **OhMonDieu !** Trente secondes pour retourner dans la classe. Cours de MATH.

Le prof ne rigole pas avec les retards. Même qu'il conserve une pile de billets blancs et de billets rouges prêts à être distribués. Son objectif, en plus de nous apprendre les probabilités et la géométrie, c'est d'en donner au moins un à chaque élève durant l'année. Je le sais, Benjamin l'a dit !

Je m'assois au moment où il ferme la porte. **AU SECOURS !** Je viens de réaliser qu'il porte les mêmes lunettes que mon grand-père. En plastique noir. Ni carrées ni rectangulaires. J'ai dû le dévisager trop intensément car il m'a demandé si j'avais une question à lui poser au sujet du devoir. **Ouate de phoque !** J'ai marmonné quelque chose avant de sortir mon cahier.

Je suis dans la salle de bains. Lily entrouvre la porte. Lorsque Sabine passe dans le corridor, Lily l'agrippe et la fait entrer dans notre repaire. Sabine lâche un cri susceptible de réveiller les morts du cimetière voisin. Dans le temps de l'Halloween, les **MORTS** sont à fleur de peau, tout le monde devrait savoir ça.

– Sabine, tu vas être fière de nous. On a parlé à Jérémie, ce matin, commence Lily.

– **Nooon !** Vous n'avez pas fait ça ?

Elle simule le découragement le plus intense jamais éprouvé par un être humain.

– Qu'est-ce qu'il a dit ? enchaîne-t-elle, soudainement trop intéressée. (Une autre girouette.)

– Il te trouve de son goût aussi. As-tu un message pour lui ?

J'adore mon rôle d'entremetteuse. Deux personnes que j'aime bien s'aiment bien. Je ne peux pas demander mieux. Je suis leur marraine fée qui agite sa baguette au-dessus de leur tête pour qu'ils comprennent qu'ils sont faits l'un pour l'autre. Oooh ! Marraine fée, citrouilles. C'est tellement concept.

– Sortez de là, les filles. Ce n'est pas un salon étudiant.

On le sait tellement. Si c'était un salon étudiant, on serait pas mal plus confortables pour régler nos problèmes. On aurait des divans, des tables...

La surveillante n'avait pas besoin de s'énerver. On allait sortir de toute manière. C'est la journée du CHILI à la café. Si on arrive trop tard, il n'en restera plus et on devra se contenter des pilons de POULET, sauce à la vase. Faut se grouiller.

Les gars ont disparu. Lily a eu droit au dernier PLAT de chili. Sabine grignotait son sandwich, l'air dévastée. Son beau Jérémie a disparu lui aussi avant qu'elle ait pu lui dire quelque chose ou, au moins, lui sourire. Nous étions silencieuses. La journée qui avait si bien commencé est devenue un vrai **fiasco**.

2 OCTOBRE

C'est la dernière fois. J'abandonne. Je quitte l'équipe de *cheerleading*. Pas de chorégraphie cette semaine : des levers, des paniers, des étirements. Je me suis concentrée pour ne pas laisser tomber la fée VOLTIGEUSE. Je n'ai parlé à personne. Personne ne m'a parlé. On est peut-être faites pour s'entendre finalement.

L'entraîneure nous libère pour qu'on essaie le costume qu'il faudra acheter. Il y a urgence. Vite, trouver quelque chose pour me sortir de là.

– J'ai laissé mon chien dans l'auto. Un instant, je reviens. Attendez-moi.

La fée voltigeuse me regarde vraiment *croche*. Remarquez, j'aurais fait la même chose qu'elle si j'avais entendu quelque chose d'aussi STUPIDE.

J'ai ouvert la porte et je me suis sauvée. Je n'allais pas ACHETER un costume que je ne porterai jamais. J'ai menti. Ma mère m'attendait dans l'auto. Pas un chien. Pour la bonne raison que nous n'avons pas de CHIEN. J'ai lancé rageusement mon sac aux couleurs de ma défunte équipe sur la banquette arrière.

– J'arrête cette activité nulle. T'es contente, au moins ?

Ma mère n'a rien répliqué. Merci mon Dieu, elle ne m'a pas radoté sa théorie sur la femme-objet dégradée. Dégradable ? Pas grave, elle est nulle, sa théorie. Je me dirige vers ma chambre pour claquer la porte. Un jour, je vais l'arracher cette porte à force de la claquer.

Un autre super week-end en perspective.

3 OCTOBRE

– Maman, je vais magasiner avec Sabine. Bye !

Ça fait trop longtemps que je ne suis pas allée au centre commercial avec Sabine. Et puis, c'est bon pour la santé : on marche tout le temps. Une activité sportive à inscrire dans notre sportfolio, une INVENTION de Bilodeau pour nous espionner pendant toute la semaine, pas seulement pendant son cours. On y note toutes les activités physiques pratiquées pendant la semaine. On ajoute des commentaires NULS sur nos prétendues améliorations. Aujourd'hui, je noterai : *Sport* : marche. *Intensité* : Modérée. (Quand même, je ne peux pas écrire élevée. J'aurais l'air de quoi si je faisais de la marche rapide au centre commercial ?) *Durée* : trois heures. (J'ai minuté.)

Nous entrons chez ROSIE, notre boutique préférée. Sabine et moi achetons exactement le même chandail. Même couleur (noir), même modèle (décolleté – pas trop – à manches longues). Puis nous achetons des boucles d'oreilles. Deux paires pour le prix d'une. La même paire. Ce n'est pas très original. Pas si grave. Je ne sors jamais, aucun **DANGER** de croiser une Sabine habillée comme moi !

Nous avons bien magasiné. Et Sabine m'a beaucoup parlé. De Jérémie. Il est trop beau, trop drôle, **trop** intelligent, **trop tout !** Je l'ai écoutée pendant trente minutes. Je répondais tout comme il faut : oui ; t'as raison ; je le pense aussi ; c'est donc vrai ce que tu dis. Dans l'ordre et dans le désordre. Je résume la suite du monologue : c'est **trop bien** d'avoir un petit ami.

De retour chez Sabine. Nous essayons nos chandails. Portons nos boucles d'oreilles. Nous faisons des mimiques devant son immense {MIROIR}. Quand j'ai dit à ma mère que je voulais un miroir comme le sien dans ma chambre, elle m'a dit que ce n'est pas *feng shui*. N'importe quoi ! Nous nous prenons en photo et nous les déposons dans Facebook. Vraiment, nous passons un super après-midi.

Pour l'HALLOWEEN, Sabine se déguisera en Raggedy Ann. La poupée. Ça ne vous dit rien ? Moi non plus, je ne connaissais pas cette poupée aux cheveux de laine rouge et aux yeux faits avec deux énormes boutons noirs. C'est vraiment son type, une poupée. Vous devriez voir son COSTUME. Trop beau. C'est sa mère qui l'a fait. Elle est très habile, sa mère.

Si le déguisement de Sabine est prêt, le mien n'est qu'une sinistre ébauche. Faux. Une ébauche, c'est un plan. Et je n'ai pas de plan. Inutile de demander à ma mère de COUDRE quelque chose. Elle est allergique à tout ce qui touche de près ou de loin aux arts domestiques. Est-ce utile de préciser qu'il n'y a pas de machine à coudre à la maison ?

Deux possibilités. J'en bricole un avec du papier crépon, comme dans mon *Imagerie des fêtes*. Comme j'ai mérité E+ en arts plastiques, en cinquième année, quand j'ai essayé de créer un oiseau exotique en papier mâché, c'est assez risqué comme entreprise. Il s'agit de créer un vêtement que je devrai PORTER. C'est sérieux.

Je peux aller fouiner au Village des Valeurs. Idée nettement plus sympa. Je vais trouver une robe de bal qu'une fille très riche aura abandonnée et je vais la payer 5 $ parce que j'aurai repéré une minuscule tache indélébile dans le bas et que j'aurai négocié serré. Je vais être tellement chic. Non, non, non. En ado des années 1950. Une jupe évasée, une crinoline si large que j'entrerai difficilement dans l'autobus et un petit cardigan tout mignon. Je danserai le rock'n'roll dans les corridors. Antoine sera ébloui par ma grâce. Il me faut cette jupe sortie tout droit des années 1950 comme dans *Grease*, mon film-culte que j'aime plus que tout.

✿ ✿ ✿

J'étudie. Je pense à mon déguisement d'Halloween et à Antoine. Je serai la Olivia Newton-John de l'école et il va **craquer**.

Cote du week-end : 7/10. J'arrête le *cheerleading* ♥ ♥ ♥ ♥. Magasinage avec Sabine ♥ ♥ ♥ ♥. Mon déguisement 😠😠😠😠😠.

Ce matin, nous sommes tous amorphes dans l'autobus. Même **PVP** est silencieux. Il a les yeux fermés. Je crois qu'il DORT. J'aime les lundis matin paisibles ! Jérémie a laissé des commentaires sur nos photos dans Facebook. « Wow ! Trop cool. Je vous aime, les filles. » Pourquoi Antoine n'a-t-il rien écrit ? Pourquoi ?

Ce soir, j'ai longtemps *tchatté* avec Lily. Thème de la soirée : le dossier S ♥ J. Ils sortent ensemble,

Jérémie l'a dit à Lily avant de monter dans l'autobus. Nous avons vérifié dans Facebook. Dans les deux profils, on peut lire *En couple*. Nous sommes trop fortes.

J'ai fait un rêve étrange. En fait, plus épeurant qu'étrange. Il y avait un squelette dans la salle de bains. Un **SQUELETTE** portant une boucle rose autour du crâne et deux gros **BOUTONS** à la place des yeux. Elle – avec une boucle rose, c'est forcément une fille squelette – était sous la douche. Lorsque je suis entrée, elle m'a fait un immense sourire **sadique**.

Je me réveille en sursaut. Mon réveil Hello Kitty indique 4 h du mat'. Je suis incapable de me rendormir.

J'allume mon **ordi**. Je veux savoir ce que ça signifie, ce cauchemar. Ma tante Johanne dit que les rêves sont des messages en provenance de l'au-delà. J'ai toujours ri d'elle (en secret.) Et si elle avait raison…

SQUELETTE… squelette… squelette… squelette : **OhMonDieu !** *Mort d'un proche*. Impossible. Personne ne va mourir. Peut-être que oui, après tout. D'après ma tante Johanne, les rêves peuvent en dire long sur l'avenir. Vite, un autre site : *un squelette qu'on* *voit annonce un malheur imminent.* Ils se trompent, c'est certain ! Du calme, Léa, respire. Selon les profs, dans un PROJET de recherche, il faut consulter au moins trois sources. Ça doit être bon dans la vraie vie aussi.

Tiens, ce site-là a l'air pas mal plus sérieux. Il n'y a pas de publicité vantant les talents de **VOYANCE** d'une quelconque Ange-Marie. Voir un squelette dans votre rêve *représente une situation qui n'est pas pleinement développée.* (Hein ?) *Si un être cher est représenté sous la forme d'un squelette, vous devez savoir que votre relation est morte depuis longtemps. Ouvrez-vous les yeux.*

Je préfère cette version. Beaucoup plus limpide et vraiment moins MORBIDE. Il faut voir au-delà des apparences. Le second degré. Ouvre ton esprit. Une amie pourrait te tourner le dos ? Faut que j'en parle à Lily.

Autour de NOTRE table. Sabine et Jérémie mangent en silence. Personne n'ose parler. C'est gênant, ce silence. Nous avons l'air trop louche – ou louches ? Tous. Tellement que madame Geoffrion – WOW, elle a eu une promotion : passer de la surveillance des toilettes à celle de la café – nous a demandé si tout allait bien. Parce que des jeunes qui ne crient pas à la café, elle trouve ça suspect. **Ouate de phoque !** Les adultes sont trop compliqués.

– Vous pouvez vous confier à l'infirmière. Elle est là pour ça.

Martin et Antoine ont pouffé. Lily a donné un coup de pied sur ma jambe gauche et s'est caché le visage dans ses bras croisés sur la table. **Ouch !** Qu'est-ce qu'elle fait ? Ce n'est pas son habitude, les coups de pied ! Elle veut me faire remarquer quelque chose ? Le passage de Geoffrion à NOTRE table ? **Ouate de phoque !** En tout cas, je me vois raconter notre histoire à la nouvelle infirmière en rougissant stupidement. Ça existe, madame, une pilule pour remonter le temps ? Parce que je ne sais pas si je jouerais à l'entremetteuse à nouveau. En tout cas, moi, j'ai pris une décision. Quand je serai en amour avec vous-savez-qui, je serai LUMINEUSE ! Pas silencieuse ! Promis.

Sabine m'a rejointe aux toilettes. Elle sort d'où, elle ? Elle a l'air bizarre. (Elle devrait aller consulter l'infirmière. Ah ! Ah ! Ah !) Elle regarde par terre, replace d'un geste machinal ses cheveux trop courts derrière ses oreilles trop décollées. Franchement, la différence avant/après ne saute pas aux yeux. Elle a attrapé un tic nerveux.

– Sabine, as-tu hâte à samedi ? Après le Village des Valeurs, tu viendras à la maison et on regardera le dernier DVD de Louis-José Houde. Ça va être vraiment trop chouette !

Sabine ne répond rien. ÉTRANGE, ce silence. Trop bizarre même. Non, elle ne va pas me laisser tomber. (Je deviens extralucide. Toutes les Ange-Marie de ce monde peuvent aller se rhabiller !)

– Euh, je voulais te dire. Je vais magasiner avec Jérémie et ma mère ne voudra pas que je magasine samedi ET dimanche. Tu la connais... trop sévère. C'est pas grave, hein ? On se reprendra.

– Sabine, t'avais promis de m'aider pour mon costume d'Halloween. Ah ! C'était toi, le squelette ! ai-je crié, trop **INCRÉDULE**.

– Quoi ?! De quoi tu parles, Léa ? Je comprends rien...

– C'est correct. Je savais que tu ne pourrais pas venir, ai-je répondu, d'un air ésotérique.

Je suis sortie en MARCHANT lentement parce que les voyantes ne sont pas des êtres **agités**. (En tout cas, Ange-Marie avait l'air paisible sur Internet, la nuit passée.) Sabine était là, la **bouche ouverte**, renversée sans doute d'apprendre que j'ai un talent aussi extraordinaire.

✿ ✿ ✿

Je reviens à NOTRE table. Jérémie est parti. J'annonce la **Grande** nouvelle aux autres : la première sortie officielle des deux muets. Antoine ouvre de grands yeux, l'air de croire que je leur monte un **BATEAU**. Quand il a saisi que j'étais dangereusement sérieuse, il a répliqué en lançant un pari :

– Qui gage qu'ils vont *casser* samedi soir, vers 17 h 34 ? Ils ne se parlent même pas. Ils vont tellement s'ennuyer qu'ils vont *casser*. En plus, aller magasiner… C'est une sortie de filles, ça !

Je suis la première à gager en faveur de la rupture. Et c'est pas parce que je suis jalouse parce qu'elle a un amoureux, **elle** ! J'étais prête à consulter l'infirmière pour qu'elle me prescrive une pilule à remonter le temps. Je suis cohérente, c'est tout.

– Léa, t'étais où, là ?

C'est Antoine qui me ramène à la réalité. (OhMonDieu ! Il m'a parlé. Il a prononcé mon prénom. Il le prononce *foule* bien.) Ils ont pris une décision. Puisque tout le monde partage le même avis, il n'y aura pas de pari.

Notre vie est devenue si ordinaire que même nos paris débiles échouent LAMENTABLEMENT.

J'ai oublié un détail important : Antoine m'a souri. Il sourit tellement bien !

Cette nuit, je vais peut-être faire un autre rêve prémonitoire qui m'éclairera sur les intentions cachées de mon entourage. Je me couche tôt, pour pouvoir mieux communiquer avec l'au-delà. Je mets toutes les chances de mon côté en serrant Teddy rude – mon TOUTOU préféré – contre ma joue.

Bonne nuit, Antoine !

8 OCTOBRE

Aucun message en provenance de l'au-delà. Zut !

Long week-end. Yé !

Vendredi soir. La coccinelle laide s'est encore posée sur la porte du frigo. Au secours ! Pas Marika-la-maniaque, j'espère ! Je lis ce que ma mère a griffonné : « Rappelle Marie-Claude. Elle aimerait que tu gardes Léa-Julie samedi soir. »

Ouiii ! Je l'aime beaucoup, Léa-Julie. Elle est trop craquante. D'abord, on a presque le même prénom. Ça crée un lien solide, un prénom. On DESSINE ensemble. Je suis à son niveau, ça m'a sans doute permis de l'apprivoiser. Je lui fais des coiffures et je la prends en photo ensuite. Des fois, on regarde toutes ces PHOTOS et elle me raconte exactement en détail ce qui est arrivé cette fois-là. Elle aime quand je lui raconte des histoires, surtout *Cannelle et Pruneau au lac du soleil d'or* et *Bonne fête Madeleine*. En prime, elle se couche tôt. Je vais pouvoir écouter *Les frères Scott* et me faire une manucure française. J'ai immédiatement confirmé. Je serai là demain soir.

Lily est partie au chalet de son oncle pour le long week-end. Depuis qu'elle a trois ans, chaque année, elle y célèbre l'Action de grâces. Dimanche, elle se fera photographier devant une montagne rougie par l'automne et aura l'air bête. Ses parents vont lui crier de sourire et elle fera celle qui n'entend rien. Sabine rêvera à son bien-aimé. Antoine et Martin joueront au FOOTBALL.

Moi ? Je lirai *Le tour du monde en 80 jours*. Ce n'est pas un choix personnel (en ce moment, je suis une accro des *Nombrils*), c'est pour le cercle de lecture. Je vous le dis à vous – je n'ai pas envie d'avoir l'air d'une *nerd* finie à l'école – mais c'est un super bon LIVRE. Vraiment mieux que le film immonde mettant en vedette Jackie Chan que mon père m'a forcée à regarder sans ronfler, à l'occasion d'un samedi-cinéma-en-famille.

Je dois dessiner une scène du livre qui m'a marquée. Une question comme ça. Est-ce qu'il est possible d'illustrer l'œuvre de Jules Verne avec des bonshommes allumettes ? Mes résultats extraordinaires en arts plastiques – avouez que E+, ça sortait VRAIMENT de l'ordinaire – me font craindre le pire.

Des bonshommes ALLUMETTES... Franchement, Léa, c'est n'importe quoi !

Je suis dans la chambre de Léa-Julie. Juju pour les intimes. J'essaie de la convaincre de prendre son bain. Je ne sais pas ce qui arrive, mais elle ne veut rien entendre. Je ne savais pas qu'à compter de trois ans ET DEMI, les ENFANTS ne prenaient plus leur bain. Je suis toujours la dernière à apprendre les nouvelles de toute manière.

– Viens, Juju. Tu vas prendre ton bain et ensuite, on regarde le film que j'ai apporté.

– Non. Ze veux pas. C'est plate, se laver.

– Pas si plate que ça. On va mettre de la mousse, je rajoute avec un ton très très enjoué.

– Non, c'est plate la mousse et savais-tu quoi ? Z'ai pas le temps.

Elle a pas le temps ? Elle a pas le temps !!!!! Vraiment bien pensé, ma Juju. Mais tu ne sais pas à qui tu t'adresses, là. Je vois clair dans ton jeu, ma belle Juju.

Samedi soir. Je m'obstine avec Juju pour qu'elle prenne son bain. Désespoir total. Je n'ai plus le tour avec elle. Je suis déjà dépassée ! Treize ans ET DEMI et déjà dépassée. OhMonDieu !

– Juju, si tu ne te laves pas, les zillions de petits microbes qui sont sur ton corps vont te grignoter. Partie, Juju !

Pa-thé-tique. Je suis comme les adultes : j'utilise des arguments tellement nuls. En faisant cette déclaration scientifique, je la chatouille pour simuler le travail de ces microbes qu'on ne voit pas mais qui sont hyper voraces. Elle rit aux larmes. Léa, t'es trop FORTE !

– Ze veux pas prendre un bain, bon !

– OK, OK, OK ! Tu vas te laver la figure avec ta débarbouillette Dora. Après, on regardera ma surprise.

Juju se lave le visage avec une énergie débridée. Son visage est rouge tomate. Son sourire, triomphant. Elle m'a manipulée, mais je ne suis pas sa mère. Après tout, elle ne mourra pas grignotée par des zillions d'ENVAHISSEURS microscopiques cette nuit. Faut relativiser. Elle doit développer son système immunitaire. Finalement, c'est bon pour elle, ne pas prendre son bain !

Nous sommes dans le salon. Juju a enfilé son pyjama de princesse sans que j'aie à argumenter. C'est parfait. J'ai apporté ma cassette de *Cendrillon*. Mon film-culte. Quand j'avais trois ans ET DEMI, là. Je l'ai écouté des centaines de fois. Je le connais par cœur. Je chante les chansons avec les souris, même si je ne saisis pas toutes les paroles parce que les SOURIS elles n'articulent pas toujours comme il faut. Franchement, ce sont des SOURIS !!!

Au début, tout allait bien. Juju écoutait, dansait, essayait de chanter. Elle m'a demandé de lui faire des tresses, comme Cendrillon.

Puis ça a dérapé. C'est la faute à LUCIFER. Le gros et détestable Lucifer boit du lait.

– Pourquoi il boit du lait, le chat ?

– Euh ! Parce qu'il a faim ?! (Quelle question, ma Juju !)

– Pourquoi il a le nez carré, Luciver ?

– Je sais pas trop, là. Écoute le film, c'est super bon. (Ce n'est même pas moi qui l'ai dessiné, le NEZ carré de LUCIFER !)

– Pourquoi la souris se cache derrière la grosse roue ?

– Parce qu'elle se cache du gros Lucifer pas gentil. (Je suis tellement forte !)

Enfin. Ma scène préférée. Javotte qui s'égosille en chantant *Chante, rossignol, chante*. Un classique. chante rossignol chante / chante rossignol chante / dans la nuit / ah ! ah ! ah ! ah ! ah ! ah ! ah ! (Bis et re-bis.)

– Elle chante bien, la madame.

– Tu trouves, Juju ? (Là, tu me décourages, ma chérie !)

Quand les souris interprètent une énième CHANSON, elle me demande **pourquoi** elles chantent, les souris ? Qu'est-ce qu'elles disent ? C'est quoi, la chanson ?

– Je sais pas, Juju. (Moi aussi, je les trouve nulles, les chansons des souris. C'est sûrement à cause d'elles qu'on a inventé la fonction **Avance rapide**.)

J'ai passé le reste du film à expliquer l'inexplicable. À souligner des évidences. Sauf pour ce qui est de la transformation de la citrouille en magnifique carrosse. La MAGIE, c'est normal quand on a trois ans ET DEMI. Ça fait partie de la vie.

Et vous savez quoi ? Juju a adoré *Cendrillon*.

Elle s'est endormie juste avant *Les frères Scott*. Après m'avoir transformée en souris d'un coup de baguette **magique** imaginaire. Moi, pour lui prouver qu'elle fait vraiiiment de la magie, j'ai chanté à la manière des souris ! Avec une voix nasillarde et trop vite pour qu'on me comprenne.

Note de la soirée : 8/10. La meilleure depuis le retour à l'école. Merci Cendrillon.

10 OCTOBRE

Je suis revenue tard hier soir. J'essaie de dormir mais mes parents jasent dans la cuisine en prenant leur CAFÉ. Je ne veux pas les espionner mais s'ils ne veulent pas que j'écoute, ils n'ont qu'à se taire.

– Ce sera long ? demande mon père en mâchant certainement un bout de pain recouvert de confiture.

Quoi ? Qu'est-ce qui sera long ? Mon père devrait éviter de parler la bouche **pleine**. Ça complique ma tâche. Je devrais lui en parler. (Non. Mauvaise idée, Léa !)

– Tu connais Gendron. Jamais très précis, le cher homme. Il estime que j'en aurai pour quelques semaines... Je t'ai dit ? J'ai parlé à Lucienne. Elle sera ici ce soir. Pour une fois, j'ai vraiment hâte d'y être...

Lucienne !!! Ma LULU ! Ouiiiiiiiiiiii ! Mais il se passera quoi, pendant quelques semaines ? Pourquoi Lucienne vient ici ? Pourquoi tant de mystères !!!

– Léa va être contente. En tout cas, tu es vraiment chanceuse. La dernière fois, il t'a exilée à Saskatoon... Ça va faire changement. Je pense même qu'ils ont le téléphone maintenant, a conclu mon père pendant que ma mère riait.

Elle va où, ma mère ? Elle part quand ? QU'EST-CE QUI SE PASSE ? Ils organisent ma vie sans me consulter ? Je veux avoir mon mot à dire ! J'ignore totalement de quoi ils parlent. Qui n'avait pas le téléphone ? Qu'est-ce qu'ils ont fait à MA vie ????

Pas le choix. Faut que je me lève !

Wow ! Ma mère ira travailler à New York !!! New. York. City. NYC. Jusqu'au 15 novembre. Elle est journaliste et elle va faire des reportages sur les CANDIDATES POTENTIELLES au titre de **présidentE** des États-Unis. (Vous comprenez pourquoi ma mère a été choisie ! Féministe, présidentE, le lien se fait tout seul.)

Quatre semaines à New York ! Quatre. Semaines. Je suis trop JALOUSE. Pendant qu'elle va s'amuser dans la plus belle ville du monde, je vais subir les examens de fin d'étape et les travaux d'équipe et tout et tout. En plus, elle déteste magasiner. Quel gaspillage !

Grand-maman Lucienne me tiendra compagnie pendant les vacances de ma mère à NEW YORK. C'est une autre super nouvelle. Pourquoi ? Parce qu'elle est vraiment cool, ma LULU.

Qui est ma Lulu ?

Lulu est la mère de mon père. Elle est vieille et se parfume avec du lilas, porte des lunettes, une fine chaîne en or au bout de laquelle pend une petite croix et des PANTOUFLES mauve et jaune tricotées par elle quand elle écoute la télé. Elle est veuve depuis que son mari est mort. Quand je lui demande s'il y a quelque chose entre elle et monsieur Rodier, un de ses nombreux amis, elle rougit (tiens ! je dois tenir ça d'elle !) et ouvre un livre de recettes. Je n'insiste pas. C'est sans doute pour ça qu'elle aime vivre chez nous quand ma mère est en reportage.

Lulu aime cuisiner des biscuits et du sucre à la crème et des TARTES aux pommes et des gâteaux au chocolat et des beignes ; tricoter des pantoufles ; ses nombreux amis ; faire du bénévolat ; parler à son CACTUS Philémon ; lire des magazines ; adopter la dernière philosophie à la mode ; rire des blagues nulles de son fils (mon père !) ; m'écouter et me donner des conseils mais seulement si je lui demande. À ce propos, son fils bien-aimé devrait prendre exemple sur elle. Lulu envie ma mère qui voyage partout et la considère comme sa propre fille.

Lulu rêve... Je ne sais pas à quoi rêvent les personnes âgées. Savent-elles encore comment faire ? Je n'ai jamais osé le demander à Lulu. Ça me gênerait trop.

11 OCTOBRE

J'ai congé. Lulu est ici. Elle cuisine. Et quand elle cuisine, Lulu sort son TABLIER blanc avec des petites pommes vertes partout. Elle l'attache bien serré autour de son ventre. Elle sort son grand livre et met ses lunettes de mémé sur le bout de son nez. C'est toujours la même chose : mamie Lulu disparaît dans un NUAGE de farine, comme la marraine fée de Cendrillon disparaît dans un tourbillon d'étoiles.

D'ailleurs, son livre de recettes me fait penser à un livre de magie. Un GRIMOIRE, Léa, dirait ma prof de français. Les pages sont jaunies. Elle a barbouillé les marges de notes personnelles et d'autres recettes. Il y a des taches brunies un peu partout. Parfois, un peu de farine collée. Lulu est la sorcière des cuisines. Je sais, c'est le MOIS de l'Halloween, c'est facile de voir des sorcières partout. Quand même, si vous voyiez son grimoire, et si vous pouviez la voir, elle, dans la cuisine, vous me comprendriez.

Pourquoi j'ai besoin que mamie Lulu me *garde* ? Un instant. Elle ne me *garde* pas. Elle s'occupe de la MAISON. Vous pensez que mon père en est incapable ? Il est méga capable, mon papa. Mais il travaille trop fort. Il ne revient jamais à la maison avant 21 h, alors je serais toujours toute seule. Ça ne me dérange pas, la solitude, mais les adultes, eux, ça les dérange beaucoup. Ils croient encore que j'ai six ans et que je ne peux pas me servir des céréales sans renverser le lait sur la table. N'importe quoi !

Téléphone. Mamie Lulu répond et elle me tend l'appareil en me faisant toutes sortes de mimiques. Elle a dit : « Bien sûr. Un instant, MONSIEUR. » En me tendant le récepteur, elle chuchote si fort que si le MONSIEUR au bout du fil n'a rien entendu, c'est qu'il est vraiment sourd.

– Léa ? C'est Jérémie. (Je l'avais reconnu.)

– Qu'est-ce que t'as encore oublié ? Ton livre de math ou de géo ?

– N'appelle pas chez Sabine, OK ?

– Pourquoi j'appellerais chez Sabine ? T'es drôle, toi.

– On est au centre commercial. Ses parents croient que tu l'attendais ici et que vous essayez tous les chandails roses chez ROSIE. Alors, si tu appelles chez elle, on va se faire prendre. Je compte sur toi, ma grande, OK ?

Je **déteste** ça quand il m'appelle « ma grande ». Je le sais, que je suis grande. Pas besoin de me le rappeler chaque fois. Mes bras ont tellement allongé que les manches de ma blouse à manches longues ont l'air d'un pantalon capri. Est-ce que je lui dis qu'il a des grands pieds, moi ? Pas souvent.

– Sûr. VOUS pouvez compter sur moi. Tous les deux. Dis à Sabine que...

ZUT, il a déjà raccroché.

Je n'aime pas vraiment ça. Ça n'a rien à voir avec ce qu'il m'a demandé. Ce que mes amies disent ou ne disent pas à leurs parents, ça ne me regarde pas. Je ne fais pas partie du clan des adultes, alors...

Sabine ne pouvait pas magasiner avec moi mais je suis son alibi ? Assez nulle, son excuse. Elle m'a menti, et on ne se ment pas entre copines. Une règle non écrite. (Il faudrait que quelqu'un les écrive, ces règles. Ça éviterait aux autres de gaffer.)

Et Antoine qui ne me voit toujours pas. (Je sais, il n'y a pas de lien mais mon cerveau aime jouer à saute-moutons.) Je sais. Je devrais lui parler. Lui lancer des messages clairs, limpides et translucides. J'entends ma mère me dire que les **filles** doivent faire les premiers pas parce que les gars ne sont pas les plus vites dans ces histoires-là. Elle a souvent tort, mais là, je dois avouer qu'elle a probablement raison.

Lui sourire intérieurement, ça fait mystérieux. Mais c'est totalement inefficace. Je le sais, je souris intérieurement à Antoine depuis le 24 août. Résultat ? *Nossing*.

L'astrologue de Lily ! Il a peut-être des nouvelles au sujet de ma vie future. *Google it,* Léa.

Amours : Roméo n'attend peut-être qu'un signe de votre part. Faites les premiers pas.
Amitiés : Une amie vous cache quelque chose. (Ça, je l'ai bien compris. OhMonDieu ! Lily a raison, il est trop fort ! Oui, bon, je l'ai trouvé « bof » l'autre fois, mais j'imagine qu'il a le droit d'avoir des jours moins bons que d'autres. Non ?)
Finances : Il n'y a qu'une façon d'atteindre son objectif : dressez un plan et suivez-le. Allez-y ! Vous atteindrez vos objectifs.
Famille : On vous a assigné des corvées ? Prenez ça avec le sourire !

Antoine attend que je lui fasse signe. OK. Les sourires intérieurs, c'est fini. (Je décode, c'est certain. La prédiction est plus générale, c'est normal.) Les finances, c'est l'affaire de mon père, moi, j'y connais rien. Alors, le plan pour atteindre des **objectifs**, ce n'est pas vraiment pour moi, ça. Hein ? Léa, relis ça. UN PLAN. Il me faut un plan. Un plan précis avec plusieurs étapes. Je vais dresser une liste. C'est ça !!!! Il me faut une liste. Ze A-Liste !

J'ai un carnet. Sur la couverture, des petits CHATS noirs aux yeux verts. Il y en a un qui a l'air de me regarder. Ils sont trop choupinets. J'ai ouvert mon carnet. Sur la première ligne, j'ai écrit A-Liste. (Au cas où vous auriez pas compris : le gros A, dans A-Liste, c'est pour Antoine.)

J'ai souligné le titre trois fois avec ma règle parce que ça fait plus propre. Je mets toutes les chances de mon côté. J'ai écrit le chiffre 1 suivi d'un petit tiret vraiment élégant. Puis plus rien. J'ai dessiné un CHAT qui dort. C'est le seul dessin que je réussis. Puis j'ai ajouté une spirale, des étoiles et des cœurs. (En ce moment, un désert est plus fertile que mon cerveau.)

Je ne me casserai pas la tête pour noter cette journée. Ni ce week-end, d'ailleurs. Sauf que j'ai découvert un astrologue qui est de bon conseil et bientôt, j'aurai un plan qui changera ma vie. J'ai hâte de raconter ça à Lily.

BONNE NUIT, Antoine ! Je doute fort que mes souhaits changent quelque chose à notre relation. Quelle relation ? Réveille, Léa. Euuuuuuuh. Bonne nuit, plutôt.

12 OCTOBRE

Les profs émergent d'un long sommeil, on dirait. La fin de l'étape leur fait l'effet d'un gigantesque réveille-matin. Il ne reste que deux semaines à l'étape, alors ils font **pleuvoir** travaux et évaluations sur nos têtes de pauvres esclaves.

En histoire, le prof avait **oublié** de nous donner le travail de l'étape. Quand j'ai su le sujet, j'ai compris pourquoi. Dresser le portrait d'un humaniste de la Renaissance. Voici les choix, même si je doute que le mot *choix* s'applique à la liste qu'il nous a donnée : Pétrarque (**ouate de phoque !** il est tellement vieux) ; Jean Pic de la Mirandole (ça vient d'où, ce Pic ? C'était son surnom ?????) ; Michel de Montaigne (Ouais, pas pire. Mais c'est quoi, ce foulard frisé autour de son cou ? Vraiment moche.) ou Machiavel.

Noooooooooooooooon ! Pas Machiavel !!!!!!!!! Ma mère parle toujours de lui. Elle dit constamment que son rédacteur en chef est **machiavélique**. Elle parle comme un dictionnaire, ma mère. Ça fait tellement INTELLO ! J'ai souvent peur qu'elle dise ça devant mes amies. J'aurais tellement honte d'avoir une mère qui utilise le mot *machiavélique* en parlant de quelqu'un. Elle pourrait aussi dire idiot et tout le monde la comprendrait.

Je fais équipe avec Lily et Karolina – une fille dont personne ne veut jamais dans son équipe et qui est toujours choisie en dernier, dans toutes les matières, pas seulement en gym comme moi. Parce qu'elle est un peu **BIZARRE**. Elle dit parfois des trucs tellement étranges que les autres croient qu'elle est folle.

Elle est différente, dans le sens de vraiment différente. Mais ça ne dérange pas Lily. Ça ne me dérange pas non plus.

Nous avons choisi Michel de Montaigne à l'unanimité. D'après lui, il ne fallait pas forcer les enfants à apprendre des affaires par cœur. Aaaaaaaaaah! enfin quelqu'un qui comprend ! Ça, on va l'écrire dans notre travail. Ça va peut-être inspirer notre prof. Plus nous en apprenons sur M de M, plus nous le trouvons sympathique. *Foule* ancien temps, mais cool quand même.

Chacune va rédiger sa partie. Je ferai le montage le week-end prochain. Avec du papier *scrapbooking* et tout et tout. Tant qu'à servir d'alibi (Ouuuh ! Ça fait trop AGENT SECRET.) à mes amis qui ont une vie à eux, je fignolerai le projet M de M à mon goût en écoutant Taylor Swift à tue-tête.

Je note dans mon agenda. DATE DE REMISE : 20 octobre. 10 % de pénalité pour chaque jour de retard. Quand le prof énonce cette règle, sa voix SURLIGNE 10 % en jaune fluo. Pourquoi j'ai toujours l'impression qu'ils aimeraient nous donner zéro ? Ça doit aller plus vite pour calculer la moyenne, une colonne de zéros. Si je remettais le travail avec onze jours de retard, j'aurais -10 % ???????? De toute manière, ce règlement nul est écrit dans le fabuleux code de vie que nous avons signé au début de l'année. Ils nous prennent pour des amnésiques atteints D'ALZHEIMER ou quoi ?

Qui est Karolina ?

Karolina est perdue. Distrayante, cool, spéciale, mais complètement perdue. Ses cheveux sont châtain clair, elle porte des broches, elle voue un véritable culte à Hello Kitty, mais elle est *foule* perdue. Je n'ai jamais rencontré quelqu'un d'aussi perdu. Le seul mot qui me vienne à l'esprit quand je pense à elle ? Hurluberlue. (Maman, sors de ce corps.)

Nous sommes dans l'autobus. Je suis dans la lune. Lily me raconte son week-end *foule* atroce dans les Laurentides. Elle a fait de son mieux pour avoir l'air le plus bête possible devant la montagne. (« Va dans Facebook ce soir, tu vas voir ! Je suis vraiment *hot* ! ») Elle a poussé son cousin pour lui faire une blague et il s'est foulé le poignet en tombant mais là tout le monde pensait qu'il était cassé et ils ont terminé le week-end à l'hôpital. RADIOLOGIES, longs soupirs, faces d'enterrement, engueulades, etc. J'ai eu droit à tous les détails.

Pendant que Lily m'hypnotise avec une foule d'anecdotes pétillantes sur son week-end des couleurs – elle a englouti les jujubes *fuzzy peach* de son cousin pendant qu'il se faisait photographier le POIGNET –, je repense à ce midi.

Dans le coin des cases, j'ai vu Jérémie embrasser Sabine. **OhMonDieu !** Je croyais qu'ils allaient *casser* lundi après leur séance de magasinage et là, ils s'embrassent. Pas de madame Geoffrion à l'horizon, naturellement. Sans doute partie à la CHASSE aux cellulaires.

– Léa, tu ne m'écoutes pas ! T'es teeeellement plate quand tu veux.

– Pas seulement quand je veux, Lily.

Lily avait raison. Elle s'est surpassée dans l'air-bêtisme ce week-end.

Ce matin, exposé d'anglais. Communication orale, si vous préférez. J'aime les communications orales. Je peux penser à ce qui me plaît pendant que les autres se trémoussent en avant. Je regarde l'affiche en pensant à Antoine. Les petits cœurs m'inspirent.

Je me suis portée volontaire (après **PVP** qui s'est précipité en avant dès que la prof a prononcé le mot « volontaire ») pour avoir le plus de temps possible pour rêvasser et pour trouver des idées lumineuses qui compléteront ma A-Liste. Compléter est un peu exagéré. Amorcer serait plus exact. Amorcer, compléter, terminer, de toute manière, je n'ai pas d'idées. Je GRIBOUILLE des cœurs sautillants.

Des rires me tirent de ma rêverie. Ah ! Lily est en avant. Je dois écouter, c'est ma *Best*. Première RÈGLE non écrite : Ta *Best* tu écouteras, quand dans le délire elle s'enfoncera. C'est ce qui est en train de se produire *right now.* (Je suis tellement dedans !)

Lily a choisi le roman *Inkheart*. (*Cœur d'encre* me rappellerait ma mère d'un air supérieur.) Je sais qu'elle l'a lu à moitié et si je me fie aux réactions, elle résume la moitié qu'elle n'a pas lue. Ça se corse. Les gars, sauf **PVP** qui n'approuve pas le désordre, tapent sur leur bureau en riant. Elle est en train d'expliquer comment Meggie Folchart et son père Mo se sont faits enlever par des MÅRTIENS qui cherchent à obtenir le secret de la pierre philosophale à tout prix. Secret qui se transmet de père en fille dans la famille Folchart depuis douze générations. Je regarde la prof. OhMonDieu ! Elle a les yeux tellement ronds. Elle secoue la tête de gauche à droite, avec incrédulité. Si Lily n'était pas la cause de son irritation, ce serait plutôt drôle.

Je sais une chose. Quand les profs hochent la tête, pincent les lèvres et griffonnent dans leur cahier des abréviations en pattes de **MOUCHE**, tout ça en même temps, c'est mauvais signe. Lily se précipite à son bureau en accrochant une chaise au passage. Quelques gars l'applaudissent. Si je me fie à l'air de la prof, je soupçonne qu'elle a lu *Inkheart*. Il devrait exister une règle qui interdise aux adultes de lire les livres jeunesse. Pour une raison évidente qui n'a rien à voir avec leur âge.

Lily picore dans son assiette. Pourtant, elle adore les croquettes végétariennes. Elle a raconté sa prestation et tout le monde a beaucoup ri. Elle aussi, au début, jusqu'à ce que Sabine lui demande si elle craignait de couler.

Martin a voulu l'encourager. Il lui a donné le truc d'Antoine. La semaine dernière, Antoine a présenté le LIVRE qu'il a lu l'an dernier. C'est un nouveau prof, elle ne sait pas qu'il l'a présenté l'an passé. Il a réutilisé sa présentation. Il l'a enrichie un peu pour qu'elle ait l'air plus secondaire deux. Il a eu une super bonne note.

– C'est vrai, ça, Antoine ?

OUUUH ! Je lui ai parlé. Ce n'était même pas sur ma A-Liste. En tout cas, jamais je n'aurais écrit *Lui parler* en haut de la liste. **OhMonDieu !** Je m'épate moi-même.

Antoine riait trop pour me répondre mais il a hoché la tête. Comme pour me dire oui. J'ai essayé de poursuivre la conversation mais les gars se sont levés pour aller jouer au SOCCER avant que j'aie trouvé quelque chose d'épatant à lui dire. Je suis allée rejoindre Lily aux toilettes. Elle a certainement besoin d'une épaule sur laquelle s'essuyer le nez.

Ce soir, mamie Lulu a préparé un gâteau au CHOCOLAT, avec un glaçage à la noix de coco. J'adore ce gâteau. Je vais en apporter demain, pour le dessert. Ça va changer des muffins au son de la café.

Lucienne a fait un plat de VIANDE aussi. Elle a voulu m'en servir deux fois. « Tu ne manges pas assez », qu'elle m'a dit. Moi, je trouve que je mange trop. Trop de viande, pas assez de gâteau au **chocolat** à la noix de coco. Je sais mettre les priorités aux bons endroits, c'est une de mes qualités préférées.

Maman m'a envoyé un courriel. Elle est dans sa chambre d'hôtel. Vue sur Times Square. C'est trop HOT ! Elle ne va pas utiliser MSN, c'est contre sa religion. C'est drôle, mais on échange plus quand elle est en voyage.

Je lui ai parlé du travail d'histoire. Quand on a pas de vie, on parle de quoi ? De l'école. Elle a failli faire une crise cardiaque quand elle a su que j'ai levé le nez sur son beau Machiavel. Je le savais. Elle a un bac en sciences politiques. Ils ont dû passer une bonne année à décortiquer l'œuvre du grand Homme. (Ce n'est pas de moi, ces expressions nulles, c'est d'elle !)

J'ai changé de sujet en lui parlant de Montaigne et là, au secours, elle est partie en peur. Pire que Machiavel. « Savais-tu que c'est Montaigne qui a écrit *Parce que c'était lui, parce que c'était moi.* C'est tellement beau ! Vous ne connaissez pas votre chance », et blablabla.

Ma mère est *foule* intello. Ça *énerve*.

Ma A-Liste est blanche comme une tempête de neige au Nunavut. (Qui a dit que je rêvais pendant les cours de géo ?) Mais j'ai des priorités (depuis que je consulte un cyber-astrologue, c'est devenu *foule* clair). Avoir une vie en fait partie.

L'étape se termine dans deux semaines et rien n'a bougé, côté Antoine. Je vais demander à mamie Lulu de préparer ses fameuses croquettes de **SAUMON**. Ça va m'aider. Le poisson, ça rend intelligent. Si je suis plus intelligente, je serai entraînée dans un immense tourbillon d'idées géniales. (Je m'imagine dans une spirale de lucioles. Trop cool.) Ma A-Liste va s'allonger. Plus elle va s'allonger, plus ma vie va s'améliorer. Je pense même que je vais téléphoner à mamie Lulu en arrivant à l'école. Bon, elles sont où, mes deux pièces pour les appels urgents ?

Je pense qu'il y avait trop de pommes de terre dans les CROQUETTES de mamie Lulu : je n'avais pas plus d'idées après en avoir mangé.

Elle a préparé des biscuits aux pépites de chocolat ce soir (le bonheur !). J'en ai mangé trois. Mais j'ai bu deux verres de LAIT. Ça compense. J'en apporterai à Lily demain. Parce que les MUFFINS aux canneberges, disons, c'est très santé. (On ne peut pas être contre la santé.) Mais le bonheur... On ne peut pas être contre le bonheur non plus.

15 OCTOBRE

Lily est venue à la maison pour m'aider à redécorer ma chambre. Redécorer, c'est vite dit. Je n'ai pas le droit de PEINTURER sans demander la permission. De toute manière, avec mes talents d'artiste... D'ailleurs, la couleur de mes murs me plaît bien. Un vert pomme vraiment **mignon**. Je sais, je devrais vouloir changer la couleur, mais bon, j'assume...

En attendant son arrivée, j'ai enlevé tous mes vieux posters, sauf celui de Chad Michael Murray. OUPS. J'ai arraché un peu de **PEINTURE** en même temps mais comme je vais en coller des nouveaux, qui le remarquera ?

Ma mère, sans aucun doute.

Je vous laisse imaginer l'état de ma chambre. J'avais encore un **poster** d'Hillary Duff, période *Une histoire de Cendrillon*. Mon crayon rougit rien qu'en écrivant ça.

– Montre-moi ce que tu as.

– J'ai trouvé celui de *Twilight*. L'aimes-tu ?

– Vraiment *hot* ! On va le mettre en face de ton lit. Ici.

Lily positionne le poster sur le mur, rien qu'un peu croche. C'est **artistiquement** croc*he*, je dirais. C'est vraiment bien.

– J'ai enlevé celui de *High School Musical*. J'ai bien fait, hein ?

– **OhMonDieu !** C'est tellement démodé. C'est *out*. Fini. Kaput. Ma sœur aime encore ça. Ça veut dire que c'est vraiment nul.

– Donne-lui. Regarde, j'ai trouvé celui de la fée Clochette. Il est tout choupinet.

– Wow ! Ça, c'est vraiment *hot*. On va le mettre au-dessus de ta tête de lit. Une fée qui veille sur toi, c'est *foule* concept en plus.

Lily prend la gommette, saute sur mon lit et suspend la fée Clochette pour qu'elle voltige au-dessus de mes rêves. Vraiment bien.

– On va déplacer Harry Potter. Il est pas mal, Daniel Radcliffe, hein ? Pas mal mieux que Rupert Grint, en tout cas.

Lily place Harry entre l'affiche de *Twilight* et celle de Chad Michael Murray. C'est bon. Je lui montre mon poster des girafes au **KENYA**. Il est fabuleux. Elle le regarde, examine l'espace qui reste et le colle sur la porte de ma garde-robe. Le girafon a un air trop **CRAQUANT**. Un jour, j'irai au Kenya et je photographierai des girafons.

Nous sommes assises sur mon lit. Nous mangeons des framboises suédoises en admirant notre œuvre.

– Tout ce qui manque, c'est la photo d'Antoine, dit Lily en riant.

J'éclate de rire en lui lançant un coussin en forme de cœur. Je sais, c'est trop concept. Je suis d'accord avec elle. Il me faut un poster d'Antoine. Je le collerais au plafond, au-dessus de mon lit. Ça irait mieux pour lui parler, le soir, avant de m'endormir. Vous savez où on achète ça, le poster d'un Antoine étudiant de secondaire deux ?

Lucienne a beaucoup aimé notre travail de déco. Elle trouve aussi qu'Edward Cullen est vraiment beau.

– Est-ce qu'il joue dans *Ramdam*, ce beau garçon-là ?

Nous avons éclaté de rire. Lucienne écoutait *Ramdam* avec moi quand j'étais en cinquième année. Ça l'a marquée, on dirait. J'étais *foule* contente. Lucienne trouve toujours que ce que je fais est bien.

Je referme la porte après le départ de Lily. Super soirée. 10/10. Le week-end commence bien.

16 OCTOBRE

Ce matin, Lucienne s'est mis en tête de m'aider à trouver mon déguisement d'Halloween. Comme Sabine passe tout son temps libre à être en amouuur, je dois me débrouiller toute seule. Lucienne est venue avec moi au Village des Valeurs. Je cherchais une jupe ROCK'N'ROLL pour me transformer en Olivia Newton-John. Bien sûr, il n'y en avait pas. J'avais les larmes aux yeux. Je serai la seule à ne pas être déguisée. Pendant que Sabine triomphera en poupée de chiffon, je serai la sage petite écolière.

Pendant que je regarde les robes aux couleurs défraîchies, un tas de tissu s'agite non loin de moi. J'entends des FROUFROUS.

– REGARDE CE QUE J'AI TROUVÉ !

L'ouragan dans les jupes, c'était Lucienne ? Pas possible. Ma petite mémé est une magasineuse déchaînée. Elle agite une jupe noire en coton lustré. Avec des frisons, de la dentelle, des paillettes.

– C'est quoi ça ?!

– Une jupe de gitane, de diseuse de bonne aventure. Tu vas avoir l'air mystérieuse !

– Woaw ! Mais j'ai pas de blouse...

– On va en trouver une, ne t'inquiète donc pas.

Elle se précipite vers le rayon « hauts à manches longues ». Je vois bien que Lucienne a une idée précise de ce qu'il me faut. Une chance, parce que moi, je ne vois pas.

Lucienne me montre une superbe blouse qui a vraiment l'air d'une blouse de gitane. Son seul défaut : elle est blanche. Là, Lucienne est dans le champ. NOIR ET BLANC. C'est pas ça, mais pas du tout, le look gitan.

– Mamie Lulu, elle est blanche, la blouse. Ça marche pas.

– Pauvre enfant, si tu l'aimes, je vais la teindre en noir.

La teindre ? OhMonDieu ! Je n'y avais pas pensé. J'arrache la blouse des MAINS de mamie Lulu et je me précipite dans une cabine d'essayage.

Pas facile de teindre mentalement une blouse blanche pour qu'elle ait l'air noire. Mamie Lulu, elle, semble très habile en teinture mentale. Elle est convaincue que c'est le *mariage* parfait. Elle m'imagine avec un foulard noué sur la tête, les cheveux bouclés tombant sur mes épaules, les yeux charbonneux, de grands anneaux aux oreilles, des colliers en quantité et des bracelets qui s'entrechoquent autour de mes poignets en faisant bling bling. Elle est trop forte. Je la suis en me disant que je n'ai rien à perdre. C'est ça ou mon costume en papier crépon...

Il est 13 h 30. Pas de courriel de Lily. Ni de Karolina. Les filles, M de M, ça vous dit quelque chose ? Bon, c'est vrai qu'il est encore tôt.

J'essaie mon déguisement. Je prends un air ésotérique en faisant virevolter ma jupe. Une BOULE de CRISTAL et je serai parfaite. Je pourrais lire dans les lignes de la main aussi. C'est trop fort, les lignes de la main. C'EST ÇA ! Je lirai dans les lignes de la main à la café et je ferai un malheur.

Je serai Léa-la-voyante-extralucide. Les élèves se bousculeront à ma table pour connaître leur avenir. Ce sera une SUPER journée.

14 h 30. J'ai monté **MA** section sur M de M. Avec du papier *scrapbooking* qui a l'air vraiment ancien. Pas de nouvelles des deux autres. Je me promène dans la maison comme une âme en peine. Mamie LULU me trouve un peu déprimante.

– Léa, veux-tu qu'on fasse des brownies ?

– OK.

Je sais que je ne suis pas très enthousiaste. Mais comme je n'ai rien d'autre à faire, j'aurais l'air fou – ou folle ? – si je disais non.

Elle sort un livre tout mignon de sa valise. *Cuisiner en s'amusant.* Une petite fille rousse brasse un mélange brun, un grand sourire illuminant son visage aux joues rouges couvertes de **taches** de rousseur. Lucienne a ce cahier depuis toujours on dirait. Un livre de RECETTES pour les enfants de l'ancien temps. Lulu l'ouvre et me demande de lire la recette DEUX fois pour bien comprendre. **OhMonDieu !** Les enfants de l'ancien temps étaient VRAIMENT si arriérés ?

Je vais la lire deux fois. Pffff, facile. « Lorsque tu fais des négrillons (**ouate de phoque !** des négrillons, c'est quoi, ça ?) pour la première fois, demande à ta mère

(Impossible elle est à NYC et elle s'amuse comme une folle ! Ah ! Je suis trop drôle.) de t'aider à régler le four à un degré modéré (350 °F) avant de commencer[3]. »

J'allume le four à 350 °F sans l'aide de personne. Jusqu'ici, je comprends tout. Même que ça baigne, comme on dit dans les FILMS tournés en France.

> « Mets deux carrés de chocolat non sucré dans un récipient à l'épreuve de la chaleur, comme une coupe à flan[4]. »

– Mamie Lulu, c'est quoi, une coupe à flan ? On a ça ici ?

Pas possible. Ça se COMPLIQUE dès la deuxième phrase.

« Dans un bol moyen… » Un bol moyen. J'espère que le bol rouge avec des pois blancs est le bol moyen qu'il me faut. S'il n'est pas moyen, le bol, est-ce que la recette sera ratée ? Voilà mon bol rouge. Il a vraiment l'air moyen, ça va être parfait, je pense.

Bon. Je RECOMMENCE.

> « Dans un bol moyen, verse 1 tasse de sucre, 2 c. à table de beurre mou…[5] »

Euh ! Je fais comment pour que mon beurre soit mou ? Il sort du frigo. C'est quoi, une *càtable* ? Un cartable ? Mais je ne vois pas ce que j'en ferais.

---

3. *Cuisiner en s'amusant*, page 41.
4. *Ibid.*
5. *Ibid.*

– Mamie Lulu, je fais comment, pour le beurre mou ? Et tu en as vu ici, des *càtables* ?

Je reprends ma lecture. « Dans un bol moyen, verse 1 tasse de sucre, 2 càtables de beurre mou, l'œuf et la vanille. Mêle avec une cuillère de bois jusqu'à mélange parfait[6]. » MAMIE LULU !!! Comment savoir qu'il est parfait le mélange ? La seule chose que je connaisse qui soit parfaite, c'est **Petit-Voisin-Parfait** et, franchement, il est plus agaçant que parfait. Donc, il faudrait mêler jusqu'à ce que le mélange soit agaçant ? Je comprends pas, là.

Je vous épargne les autres étapes. Cette recette a été rédigée par des EXTRA-TERRESTRES. C'est en français, mais c'est incompréhensible. Je comprends ma mère qui n'aime pas beaucoup cuisiner. C'est très compliqué, la cuisine. *Cuisiner en s'amusant*... Est-ce que j'ai l'air de m'**AMUSER** ?

Il est 16 h et je mange un négrillon (franchement, j'aime mieux le mot brownies) devant mon ordi. Karolina m'a envoyé sa partie de travail. J'ai corrigé quelques fautes. Je me lèche les DOIGTS pendant que l'imprimante imprime le texte de Karolina sur du beau papier. Lily, il est où, ton travail ? Je lui envoie un courriel.

6. *Ibid.*

Facebook. Je consulte le profil de Lily pour apprendre qu'elle est au chalet de son oncle. Encore !!!!!!!! Comment ça ?

Dimanche. J'ai fait tous mes devoirs. J'ai fini de lire *Le tour du monde en 80 jours*. Mes fiches de lecture sont prêtes pour le test. J'ai téléphoné à Sabine qui n'était pas là. J'ai laissé un **MESSAGE** à sa sœur qui ne lui remettra pas. Comme toujours.

J'ai peaufiné mon **maquillage** de gitane. J'ai appris sur Internet comment on lit dans les lignes de la main et je suis devenue très bonne. Je me suis concentrée sur la ligne de cœur. Sur sa signification dans la main gauche et dans la main droite. Parce que c'est très différent selon la main lue. Je ne veux pas dire n'importe quoi. Je vais lire les lignes de la main d'Antoine le 31 octobre. **Répète ça, Léa.** T'es géniale, ma vieille. J'ai enfin trouvé le deuxième point à inscrire sur ma A-Liste. Reste à trouver le premier maintenant.

J'ai révisé cinquante expressions idiomatiques parce que j'ai un test d'anglais demain. C'était assez long et, vraiment, à quoi ça sert de connaître des expressions que personne n'utilise **JAMAIS**. Un exemple ? *All of a sudden !* Avez-vous déjà entendu ça quelque part ????????

J'ai aidé mon père à ramasser les FEUILLES. Mon père chantait « *Les feuilles mortes se ramassent à la pel-leu. . .* » en dansant avec le râteau à feuilles. Lucienne chantait avec lui en riant. Moi, je ne riais pas du tout. Ils me faisaient tellement HONTE. J'étais sûre que tout le monde allait s'arrêter pour les regarder. Peut-être pas tout le monde mais, quand même, il y avait un risque qu'on nous prenne pour des FOUS. En tout cas, si jamais j'ai un iPod un jour, je n'y mettrai pas cette CHANSON. J'aurais l'air trop intello.

Qui est mon père (Jean-Luc) ?

Mon père est beau parce qu'il me ressemble ; passionné de VOITURES ; travailleur ; gentil et, comme tous les pères que je connais, il est un peu perdu dans le monde d'aujourd'hui. Il a les cheveux frisés et, heureusement, je n'ai pas hérité de ce handicap. Mais il est le fils de Lulu, ça excuse ses cheveux beaucoup trop frisés. Il a un frère jumeau, Jean-Paul, qui a les cheveux trop frisés lui aussi.

Mon père aime être un homme d'affaires ; inventer des recettes ; Charles Trenet ; Led Zeppelin ; Serge Fiori ; écouter le hockey et crier pour rien quand son équipe touche la rondelle ; réparer l'ORDINATEUR ; prendre des vitamines ; préparer des petits-déjeuners *foule* protéinés ; donner des conseils inutiles. Et nous. Il nous aime. *Foule.*

Mon père rêve que ma mère ne soit pas toujours en reportage pour pouvoir ramasser les feuilles mortes avec elle, des fois, mais surtout à l'automne. Il rêve aussi d'inventer le premier BBQ fonctionnant à l'hydrogène. **Il rêve**, j'ai dit. Je le souhaite...

Nous avons mangé le bœuf aux carottes de Lucienne qui a raconté des histoires de papa quand il était jeune et fou. Papa pleurait tellement il riait. Maman a téléphoné et elle a ri aux ÉCLATS quand je lui ai raconté la séance de ramassage des feuilles mortes. Je suis la seule personne normale dans cette famille. Ce qui n'est pas très rassurant.

20 h. Je n'ai toujours pas reçu le travail de Lily. Je lui téléphone. Elle arrive du CHALET. Elle va écrire sa partie après avoir pris sa douche. Je regarde Edward Cullen d'un air découragé. Il ne doit pas comprendre. C'est un VAMPIRE !

21 h 30. Le travail de Lily est enfin là. Je dois en refaire des bouts parce qu'elle a oublié des éléments méga importants (selon le prof d'histoire, pas selon moi).

À 22 h 45, j'ai terminé. Mon père me demande pourquoi je fais encore mes devoirs alors que je devrais dormir. Moi aussi, je me le demande. Selon lui, j'aurais dû mieux planifier mes affaires. Prendre un contrat moral (**ouate de phoque !**) avec mes coéquipières. Je pense qu'il ne comprend pas vraiment comment ça fonctionne dans le monde aujourd'hui.

J'aurais peut-être dû empêcher Lily de suivre ses parents dans un chalet isolé où il n'y a ni ordi, ni Internet, ni téléphone. Sérieusement, je commence à détester les travaux d'équipe. Si Antoine était dans ma classe, je ferais mes travaux avec lui. Ça me donnerait une occasion de lui parler. Ce qui me rappelle ma A-Liste ! (J'ai de la suite dans les idées quand même.) Trouver l'idée numéro UN. Urgent.

Après mûre réflexion, la **cote du week-end est 5/10.** Et je suis généreuse. La semaine prochaine, il faut qu'il se passe quelque chose de **cool** dans ma vie. J'en ai besoin.

18 OCTOBRE

En principe, le jour où il y a du PÂTÉ CHINOIS à la café est un jour de fête. C'est trop bon, le pâté chinois. C'est tout mou et ça nous réchauffe en dedans. C'est ce qui fait que je ne comprends pas pourquoi nous avons fini le repas aux toilettes, à consoler Sabine.

Les AMOUREUX ont le droit de se tenir la main. (Ce n'est pas une manifestation sentimentale proscrite par le code de vie.) Il faut être solidaire des amoureux qui se tiennent la MAIN parce qu'un jour, ça va nous arriver aussi. On tiendra une autre main dans la sienne **en public**.

Sabine et Jérémie sont entrés dans la café en se tenant par la main. Sur leur chemin, les gars sifflaient et criaient des wou wou wou. Au début, Sabine trouvait ça comique. Moi aussi, j'avoue. Antoine faisait partie de la chorale, alors je le soutenais moralement.

Ils se sont assis. Ça n'arrêtait pas. Les gars – j'inclus Martin et Antoine – étaient déchaînés. On se serait cru au hockey pendant les Séries. Bien sûr, on a ri au début mais on a bien vu que ça blessait Sabine. On a mangé notre repas en silence, Lily et moi.

– On peut passer à autre chose, *gang* ?

J'aurais tellement dû me taire car ma remarque les a encouragés. Sabine a laissé tomber sa fourchette dans son assiette. Elle est sortie en pleurant sous les applaudissements de quelques crétins boutonneux.

– Vous êtes fiers de vous ? dit Lily, rouge de colère.

Elle part à la suite de Sabine. Les gars rigolent encore et Jérémie ne dit rien. Il ne dit RIEN ! **Ouate de phoque !**

– Antoine, tu ramasseras mon cabaret ! Je vais être trop occupée dans les prochaines heures.

Je ne peux pas croire que je lui ai donné un ordre aussi nul. Tant pis pour lui. Il a été trop... STUPIDE. À la limite de la *moronitude*. Limite !

Fiou ! Pas de madame Geoffrion en vue. J'entre aux toilettes. Sabine est en larmes. Lily me regarde d'un air catastrophé. Je ne sais pas si j'hallucine, mais il semble y avoir une affluence inhabituelle.

– Y a rien à voir ici. Allez donc compter combien de cellulaires Geoffrion a saisis et vous reviendrez nous faire rapport. Dans mille ans, genre. **DEHORS !**

Lily veut vider la place parce que, marcher en tenant la main d'une autre personne, ce n'est pas MORTEL. Mais pleurer en public, c'est autre chose. Personne n'aime montrer sa face grimaçante et son nez rougi à toute l'école. En tout cas, moi, je n'aimerais pas ça du tout. Quand je pleure, ma face a l'air d'un pruneau en voie de déshydratation. Personne ne doit voir ça. Jamais.

Sabine se calme. Son nez n'est pas trop rouge. Ça devrait aller. La porte s'entrouvre.

– Les filles, sortez de là. Ce n'est pas un salon étudiant.

On le sait, madame. On le sait.

Retour en arrière. J'ai donné un ordre tellement bête à Antoine. C'est comme si j'avais écrit sur ma A-Liste, point numéro un : *Lui demander de ramasser mon cabaret pendant que je vais moucher Sabine après l'avoir traité d'idiot*. Ça va prendre un million de sourires extérieurs pour réparer cette gaffe monumentale. Léa, tu me décourages complètement.

Les tortellini m'ont inspirée, ce midi. J'ai eu l'idée d'une soirée cinéma demain soir. (Pas eu le temps de l'inscrire sur ma A-Liste. Mon cerveau pense trop vite.) Avec toute la *gang*, bien entendu. Tout le monde avait l'air intéressé.

Martin et Antoine voulaient voir *Red*. J'aurais bien voulu appuyer Antoine mais, franchement, Bruce Willis... Sabine voulait voir *Secrétariat*. Jérémie aussi, évidemment. Depuis quand il s'intéresse aux CHEVAUX, lui ? Lily m'a regardée, tellement crampée.

Moi, j'ai suggéré *Le réseau social* et tout le monde a crié **Ouache !** J'ai passé pour une intello. Mon honneur a été sauvé par une voix venue de nulle part qui a lancé *Le chihuahua de Beverly Hills*. Là, on a tous ri. Résultat, on ira nulle part parce qu'on a pas les mêmes goûts et que personne ne veut faire de compromis.

Je ne sais pas si je me fais du CINEMA mais j'ai l'impression qu'Antoine m'a fait un sourire extérieur. Il aurait peut-être aimé voir *Le réseau social* avec moi et il était trop gêné de le dire. Il n'avait peut-être pas envie de passer pour un INTELLO lui aussi.

Vendredi soir. Je suis chez moi. J'aurais peut-être dû VOTER pour aller voir *Red*. Je ne serais sûrement pas ici à m'ennuyer. Je regrette presque le *cheerleading* ! Il faut vraiment que je sois désespérée.

Il ne s'est rien passé pendant le week-end. C'est la fin de l'étape et j'étudie. **Point.**

Ma mère m'a téléphoné en direct de Central Park. Il faisait beau. Les Américains mangeaient des **BRETZELS** en promenant leur chien. Elle m'a acheté un macaron de Michelle Bachmann. D'après elle, c'était le plus beau. Elle semble éprouver un plaisir fou dans cette ville fabuleuse. Elle a une vie, elle. **PAS MOI**. Et vous ne savez pas à quel point ça m'agace.

Cote du week-end : 2/10. Soirée cinéma manquée 😠 😠 😠 😠 😠. Et dire que même le super macaron de Michelle Bachmann ♥ ♥ ♥ ♥ a eu un effet positif sur cette cote.

25 OCTOBRE

– Chaque classe est invitée à décorer son local pour l'Halloween. Un jury présidé par madame Brisebois (ne rougis pas, Léa) fera le tour des classes vendredi, à la récré, euh, à la récréation du matin. Vous êtes tous invités à participer. J'aime beaucoup l'Halloween (c'est moi qui parle, là, pas Brisebois) et je souhaite que nous ayons la classe la plus épeurante de l'école. *Yes, we can !*

Je retourne à ma place. Il y a de la fébrilité dans l'air. Pas à cause de l'annonce que je viens de lire, malheureusement. À cause de l'examen de math.

Non, je n'ai pas parlé à Antoine mais j'ai eu une super idée pendant que je lisais le communiqué numéro trente-neuf. Mon idée géniale, je l'écrirai sur ma A-Liste après le dîner.

Le prof de math me remet le questionnaire d'examen. Souhaitez-moi bonne chance. Je sens que je vais en avoir besoin. (Une cravate affichant un FANTÔME assis sur une CITROUILLE, c'est nul et c'est laid, monsieur. Juste pour vous dire.)

J'ai mangé à toute vitesse. Je suis aux TOILETTES. Assise sur un calorifère, les genoux remontés sur la poitrine, j'ai ouvert mon carnet. Par la fenêtre, je peux voir les gars jouer au football. Antoine est le meilleur quart-arrière que notre école ait jamais eu. C'est Bilodeau qui le dit. Je ne fais que répéter ses propos car je ne connais rien au football et je ne sais pas à quoi sert un quart-arrière. Tout ce que je sais, c'est qu'il porte le numéro 17.

J'écris.

En tout cas, ça va me donner l'occasion de lui adresser la parole. Si ce n'est pas ça, faire les premiers pas... Mais faut que je me grouille car le concours se termine dans trois jours.

La porte s'ouvre d'un coup sec.

– SORTEZ, CE N'EST PAS UN SAAAL...

Madame Geoffrion est si étonnée de me voir écrire, seule, qu'elle arrête net de parler.

– ... CE N'EST PAS... la bibliothèque, ici. Sors, ma belle, sors.

Je déguerpis sans dire un mot, mon carnet à la main. J'ai des choses importantes à planifier, moi.

Il est 20 h 10. Je suis devant mon ordi. J'envoie un MESSAGE à tous les membres de ma classe. Je leur rappelle le concours. Je leur explique que les *Verts* veulent nous laver et qu'il faut leur montrer de quoi on est capables. Je clique sur **Envoyer**.

En relâchant le bouton de la souris, j'ai un doute. De quoi on est capables, au juste ? Si on se fait laver par les *Verts*, je serai *foule* humiliée.

PVP me répond. Il va faire tous les efforts nécessaires pour qu'on **écrase** les *Verts*. Il est derrière moi. Il appuie mon initiative... J'ai résumé. Son courriel comptait **quarante-deux lignes**. Estimation rapide.

J'ai vérifié le contenu de ma boîte de courriels cinq fois après avoir lu celui de **PVP**. Il est le seul à avoir réagi chez les *non Verts*. Ça commence vraiment bien. **PVP** et moi. En équipe. J'aimerais mieux **VOMIR**.

Je regarde Edward Cullen et Bella. J'éteins ma lampe.

Il faut ABSOLUMENT que je parle à Antoine demain. Il est trop différent d'Edward Cullen. Il est loin de lire dans les pensées, lui. VRAIMENT loin.

26 OCTOBRE

– Madame Brisebois tient à rappeler le code vestimentaire qui sera en vigueur le 29 octobre. Votre déguisement ne doit pas laisser voir le ventre (des ouuuh ! fusent de partout), ni votre dos (ahhh !). Les jupes ne doivent pas être trop courtes.

Les gars se déchaînent et je me fais huer. Je n'arrive pas à garder mon sérieux. Je pouffe de RIRE. Ne pas oublier que je suis la porte-parole. Je n'ai pas inventé ce règlement. Je ne suis pas chargée de l'appliquer. Donc, je m'en fiche. Je poursuis après que le prof de SCIENCES ait ramené le calme dans la classe.

– N'oubliez pas que les souliers à talon aiguille sont proscrits. (Lily, arrête de rire !) Comme je vous l'ai écrit hier dans un courriel, ce serait cool si on remportait le concours de décoration. Sortez vos squelettes du placard. *Yes, we can !*

Oups. Le prof de sciences ne semble pas apprécier que je m'exprime en anglais. Il ne semble pas être au courant que les Américains ont élu un président parce qu'il répétait *Yes, we can !* Nous sommes dans une école internationale, non ? Supposément ouverte sur le MONDE ? Des fois, les adultes sont vraiment difficiles à suivre. Je retourne vers mon bureau en rougissant. Zut !

Nous avons mangé. Tout le monde est encore autour de la table. Il n'y a pas de football ce midi. Je prends une grande respiration.

– Antoine, décorez-vous votre classe pour l'Halloween ? On a l'intention de vous battre. Juste pour t'informer.

Je rature mentalement le point un de ma A-Liste en attendant sa réaction.

– Ouais. Y en a qui prennent ça au sérieux. Moi, la décoration… Je pense… Je trouve… Euh… C'est des affaires de *filles,* ça.

Je me retiens pour ne pas éclater de rire. Lui aussi. Les autres, eux, ne se retiennent pas. Au final, nous rions tellement fort que madame Geoffrion s'approche de NOTRE table en nous regardant vraiment **croche**. C'est encore plus **drôle**.

Je sais. J'ai un examen de français demain. Je sais, il faudrait que je relise mes fiches de lecture. Je sais, je n'ai pas trop compris comment s'accorde le &?!!$& de participe conjugué avec le verbe avoir lorsqu'il est placé devant le &?!!$& de verbe avoir parce que le verbe avoir est teeellement différent du verbe être. Pourquoi se compliquer la vie avec les compléments directs mal placés quand on peut faire autre chose.

Autre chose comme préparer la décoration de la classe pour l'Halloween. Au lieu de me torturer le participe, je bricole des décorations. J'ai déjà cent vingt-deux CHAUVES-SOURIS en carton noir. C'est moi qui les ai toutes tracées. Le traçage, c'est facile. Je connais mes forces. Mes faiblesses encore plus. J'ai limité les DÉGÂTS. C'est Lucienne qui les a découpées. Elle découpe hyper bien. Elle m'a raconté comment c'était dans son temps et on a passé vraiment un beau moment toutes les deux. Wow ! C'est la première fois que le bricolage me rend aussi intense.

Pendant que Lucienne découpait, je faisais des trous dans du carton orange. J'ai collé des pois orange sur les chauves-souris. Nous serons la seule classe de secondaire deux envahie par des chauves-souris atteintes de la varicelle.

PVP apportera des squelettes et une citrouille dont les yeux verts clignotent. Pour l'instant, c'est pas mal tout. C'est mieux que rien. (PVP est énervant au cube mais il s'implique, lui.)

J'ai raconté le défi *Verts* vs *non Verts* à ma mère dans un courriel. Elle jubilait par écrit. L'engagement, la mobilisation, l'ENTRAIDE, un projet commun, blablabla. Le sermon était un peu énervant, mais quand même, j'aime ça quand ma mère est fière de moi.

Aujourd'hui, Antoine et moi, on s'est parlé. On a même ri ensemble. Ce fut une journée tellement *hot*. Maintenant, ce sera quoi, le point trois sur ma A-Liste ?

Il n'est que 8 h 45 et cent vingt-deux CHAUVES-SOURIS sont accrochées un peu partout dans la classe. Lily m'a aidée. Chloé et Karolina aussi.

C'est vraiment impressionnant quand on entre dans notre classe. On se croirait dans les grottes du Biodôme. Mais avec des squelettes en prime parce que je ne me souviens pas qu'il y ait des SQUELETTES au Biodôme. J'ai peut-être oublié car ça fait longtemps que je n'y suis pas allée à l'HALLOWEEN. Je pourrais leur suggérer. Ça aurait beaucoup d'effet, de véritables chauves-souris qui tournoient autour de squelettes épeurants.

Avec la citrouille qui fait des clins d'œil verts sur la porte de la classe, nous avons beaucoup d'allure. Il faudra que je jette un coup d'œil chez les *Verts* à la récréation. Rien que pour voir. Pas pour copier. Pour savoir.

Récréation de 10 h 15. **OhMonDieu !** Les *Verts* ont accroché des déguisements un peu partout. Dans les fenêtres, sur les murs, il y a même un LAPIN accroché au plafond. (Un lapin d'Halloween ? **Ouate de phoque !**) Je dirais que c'est presque beau.

C'est évident que **tout** le monde a participé. J'exagère. Pas tout le monde, mais plus que dans notre classe. Les *Verts* savent se mobiliser. Même si certains pensent que la **DÉCO**, c'est pour... c'est pas pour eux.

Antoine me fait un demi-sourire. L'air de dire que ce n'est pas sa faute, toute cette exhibition. Lily me regarde, l'air tellement découragée. **PVP** ne dit rien. Pour une fois.

Nous retournons dans notre grotte *foule* concept. La prof de français distribue les copies d'examen. J'essaie de voir si elle aime la déco de notre classe. Franchement, je suis incapable de décoder ses sentiments. C'est comme si elle portait un masque. HALLOWEEN. Masque. Je suis dedans, c'est un bon début.

Après l'examen, Karolina **DESSINE** des visages aux fantômes qu'elle a tracés hier soir. Elle a apporté du fil de pêche et nous suspendrons les fantômes un peu partout ce midi.

– Léa, penses-tu encore que vous allez gagner ?

C'est Aglaé, la présidente des *Verts*, qui m'apostrophe. Aglaé a toujours un petit air supérieur. Je pense qu'elle est née comme ça. Impossible de savoir ce qu'elle PENSE vraiment quand elle nous regarde. Elle observe tout, tout le monde et parle peu, sauf peut-être à ses amis proches. Des fois, elle parle trop. (Comme aujourd'hui.) Mais elle sait dynamiser ses troupes, Aglaé. Faut lui donner ça.

Vite, Léa. Il faut que tu trouves une réplique brillante. Tout de suite. Pas ce soir avant de t'endormir, là. Fais un effort, Léa. Antoine me regarde, avec son demi-sourire trop craquant.

– C'était trop drôle. On bricolait en cachette après l'examen de français. La prof n'a rien vu. Je te jure, on se serait cru dans la classe des *Verts*. Euh, Aglaé, faut que je te dise. Y a que'qu'chose qui sort de ton nez. Je serais tellement gênée si c'était moi ! En tout cas, j'aimais mieux te le dire.

Aglaé a rougi et s'est précipitée vers les toilettes. Antoine m'a fait un clin d'œil. **OhMonDieu !** Il m'a fait un clin d'œil. À MOI.

J'ai vraiment mis Aglaé-la-papesse-de-ce-qui-est-vraiiiment-*in*-dans-la-vie en boîte ? Vaut mieux en profiter. Ça ne risque pas de se reproduire d'ici la fin de ce siècle et peut-être même après. Mon cerveau va retrouver son état **normal**.

Qui est Aglaé ?

Aglaé (mieux connue sous le nom d'Aglaé-la-papesse-de-ce-qui-est-vraiiiment-*in*-dans-la-vie) est ni grande, ni petite. Ni grosse, ni maigre. Ni belle, ni laide. Ni *nerd*, ni dernière de classe. Elle a les cheveux blonds, ni trop longs, ni trop courts, et bouclés juste un peu, pas trop. Son nez retroussé tente de se faire remarquer parmi les taches de ROUSSEUR qui picotent ses joues **rondes**. Elle a une petite voix qui rappelle celle de *Kay-Lan*[7]. Je ne sais jamais si elle simule ou si c'est sa voix de naissance. Aglaé, c'est la fille ordinaire, qui ferait tout pour ne plus être la fille ordinaire. MISSION IMPOSSIBLE, si vous voulez mon avis.

Aglaé aime... (je ne sais pas si elle **aime** quelque chose. Ce serait plus facile de dire ce qu'elle **n'aime pas**. Plus long aussi.)

Aglaé rêve d'avoir une émission à Télé-Québec dans laquelle elle pourrait établir ce qui est *in* et, surtout, ce qui est *out* dans la vie. Elle est souvent élue présidente de sa classe, ce qui est plutôt étonnant, compte tenu du fait qu'elle méprise les trois quarts de son électorat. Cette qualité lui permettra sans aucun doute de devenir la **première** première ministre du

7. Kay-Lan est la vedette du dessin animé *Ni Hao, Kay-Lan* présenté à Télé-Québec. Léa-Julie adore ça.

CANADA. Ce serait une bonne chose pour notre pays, qui deviendrait *in* pour la première fois de son histoire.

Lucienne m'a fait une belle surprise. Elle a confectionné des toiles d'araignée à partir de grands morceaux de mousseline à fromage. Elle m'explique qu'il sera facile de piquer des petites araignées dans le TISSU qu'elle a patiemment troué. C'est impressionnant.

Nous aurons des rideaux dignes d'une maison hantée, comme la famille Addams. (Je sais, la famille Addams, c'est totalement *out*, sauf dans le temps de l'Halloween.) Je n'aime pas les araignées, même celles qui sont en plastique. Bof ! Je demanderai à PVP et à Lily de piquer les araignées dans la mousseline pour moi.

J'ai oublié de vous dire : ma blouse blanche est vraiment sublime en noir.

29 OCTOBRE

Il est 8 h 38. J'ai accroché les rideaux sur la porte et devant les fenêtres qui donnent sur l'agora. PVP, Lily, Karolina et plein d'autres personnes ont piqué des araignées dans nos rideaux hantés. Quand j'accrochais les **rideaux**, mes bracelets cliquetaient. Heureusement que les examens sont terminés. Je me demande comment je pourrais écrire avec tant de bracelets autour des poignets. Quand la **CLOCHE** a sonné, nous avons admiré notre travail et nous nous sommes applaudis.

Le prof de sciences, notre titulaire, nous a félicités. Surtout pour avoir ajouté des squelettes. Semblerait qu'Oscar a envie de se joindre à ses *tinamis*. Oscar, c'est le squelette grandeur nature suspendu dans un coin du **labo de sciences**. On a encore applaudi. L'Halloween rend *quétaine*, je n'y peux rien.

La bande à Brisebois a terminé la tournée des classes. Le résultat sera connu à la fin du dîner. C'est quand même excitant. Nous sommes dans le corridor et nous niaisons, sous l'œil vif de madame Geoffrion, déguisée en clown. (Si c'est son moi profond qu'elle exprime, il ne sort pas souvent !) Le corridor est envahi par toutes sortes de créatures. Karolina s'est déguisée en carmélite (c'est une **religieuse**) ; Lily en Paris Hilton. Aglaé en Caillou. (**Ouate de phoque !** La papesse-de-ce-qui-est-vraiiiment-*in*-dans-la-vie s'est levée en retard ce matin et elle a fouillé dans la boîte des affaires à donner qui traînait dans le garage ??????????!!!!!!!!!!) Il y a un Elmo (c'est qui ??), la poupée Raggedy Ann (vraiment réussi, le maquillage de Sabine, en passant. Faut que je lui dise.) et une **DISEUSE DE BONNE AVENTURE** très talentueuse.

Le prof d'espagnol a bien tenté de nous présenter le *vocabulario* d'Halloween. Courageux, quand même. Quand il a voulu nous faire chanter *El Tiburon* (une chanson vantant les exploits d'un REQUIN devenu un héros national au Chili), ça a déclenché un tsunami. PVP, déguisé en rappeur à la recherche de son *swag*[8], pantalon trop grand et casquette à longue palette, faussait volontairement, pour se rendre intéressant. (Franchement, l'air de cette chanson est tellement simple qu'on ne peut pas se tromper !) Il nous a influencés et, au final, nous chantions tous tellement faux que le prof a pété une autre coche improductive. Nous avons ri. PVP était très fier de lui, vu que c'est ce qu'il cherche, qu'on le trouve drôle. Nous avons conclu la période en lisant n'importe quoi pourvu que ce soit en SILENCIO. (Merci PVP de nous avoir fait punir le jour de l'Halloween !) Lily avait déjà vidé son deuxième sac de framboises suédoises avant que la cloche ne crie *Faites de l'air* !

La café, le jour de l'HALLOWEEN, c'est tout sauf reposant. Tout le monde se promène de table en table. On échange des bonbons – pas des arachides, on se calme ! Lily pourrait tenir un magasin

---

8. Le *swag*, c'est une attitude, une confiance en soi qui vient du moi profond du rappeur et transpire dans ses mouvements. Le *swag*, on l'a ou on l'a pas. PVP l'a-t-il ? Non. L'aura-t-il un jour ? Les paris sont ouverts.

clandestin tellement elle en a apporté. Sabine raconte des **BLAGUES** nulles. Jérémie est le seul à en rire. C'est tellement un bon gars.

Antoine, Martin et Guillaume sont assis ensemble. J'**hallucine** peut-être mais ils ne sont pas déguisés.

– Les gars, vous êtes déguisés en...

Je vois bien qu'ils ne sont pas déguisés. Je veux juste connaître leur explication.

– C'est clair, non ? On est des nudistes en congé. L'an prochain, s'il fait chaud... Mais on promet rien !

Ils ont ÉCLATÉ de rire en se tiraillant. Pendant qu'une partie de la *gang* se prépare à défiler, j'offre mes services de diseuse de bonne aventure. J'ai déjà prédit trois coups de foudre et quatre longues histoires d'amour depuis l'ouverture de mon kiosque. Je suis en FEU.

– Penses-tu que tu peux voir quelque chose, Léa ?

C'est Antoine qui me demande ça en me tendant la main gauche. **OhMonDieu !**

Il faut que je touche à sa main !!!!!!!!!! C'est comme ça qu'on fait, mais là, j'ai chaud. *RELAXE, LÉA.* Je lui prends la main du bout des doigts. J'ai des frissons. Lui aussi, il a l'air mal à l'aise. Je passe mon doigt sur sa ligne de cœur en me concentrant. Je ne vais pas lui prédire un coup de foudre, je me **TIRERAIS** dans le pied. Vu qu'on se connaît depuis cinq ans, ce serait le premier coup de foudre à retardement de l'histoire. Je n'ai AUCUNE idée. *Nossing*. Le BLANC. Total. Une autre tempête de neige. Mais en Sibérie, cette fois-ci. Léa, force-toi. Dis quelque chose !

– On dirait que tu vois pas grand-chose. C'est plate pareil.

Et il retire sa main doucement. En me faisant un sourire plus craquant que d'habitude. J'ai raté la chance de ma vie. Ça ne reviendra plus. J'ai une boule dans la gorge. Lily va me dévisser la tête et m'engueuler après.

– Moi, je vois dans ma boule de cristal que tu vas manger des framboises suédoises !

Lily lui donne une poignée de jujubes et file vers la QUEUE de la parade en dansant et en tapant dans ses mains. Moi, je reste là, à le regarder sans savoir quoi dire. J'ai à peine entendu l'annonce de Brisebois. J'étais dans une sorte de transe.

– En secondaire deux, nous avons choisi une classe qui a fait preuve d'imag... Pour le travail et pour l'ambiance, nous dé...

Je n'entends plus rien, il y a trop de BRUIT. Lily et PVP le rappeur arrivent à côté de moi en hurlant. Karolina danse toute seule. Martin me donne une claque dans le dos. Antoine se tourne vers moi et me fait le plus beau sourire extérieur que j'ai jamais vu de toute ma vie. (J'ai peut-être encore une mini chance.)

J'ai gagné le défi que j'avais lancé à Antoine. Nous avons gagné ! C'était juste une BLAGUE mais quand même. Aglaé-la-papesse-de-ce-qui-est-vraiiiment-*in*-dans-la-vie va certainement m'aimer beaucoup plus qu'hier…

– Tu sais, Léa, vous avez gagné parce que je n'ai pas contribué. L'an prochain…

– C'était vraiment généreux de ta part, Antoine. Te sacrifier pour les *non Verts* !

Il m'a fait une *bine* sur l'épaule ! Une vraie *bine* ! Ouch !

Souper léger avant la cueillette des BONBONS. Un classique qui a fait hurler Lucienne. Des filets de poulet panés, des frites *sourire* et du ketchup. Lucienne a tout de même préparé un gâteau aux carottes, recouvert d'un glaçage orange. Il était fabuleux.

On mange tôt parce que, dans mon quartier, les gens ferment boutique tôt. Mais on ne va pas partir à l'heure des petits. Jamais avant 18 h 30. Jamais après 19 h parce qu'on risquerait de se COGNER le nez sur des portes fermées. C'est un choix délicat, l'heure du départ.

Lily et moi, nous partons. Lucienne nous rappelle avec sérieux de ne pas manger de pommes qu'un INCONNU (vêtu d'un long manteau noir peut-être, Lulu ?) nous aurait données. Il pourrait y avoir des lames de rasoir à l'intérieur. On se couperait le palais avant de MOURIR dans d'atroces souffrances. Merci, Lucienne, on va être vigilantes ! (Pourquoi j'ai l'impression d'avoir huit ans ce soir ? Aucune idée.)

Il y a déjà beaucoup de bibittes étranges qui hantent les RUES. Pas seulement des petits. Des ados, des jeunes adultes. Des parents. Des grands-parents. J'ai vu un jeune couple déguisé en Zorro ! C'est ce qui est bien dans mon quartier. Le soir de l'Halloween, les rues nous appartiennent.

Nous frappons à quelques portes et nous faisons immédiatement une bonne récolte. Nous tournons les talons devant un détraqué qui exige qu'on chante pour avoir des bonbons. Lily l'aurait fait, mais moi, non merci. C'est nous qui jetons un sort – *Trick or treat* – pas les donneurs de bonbons. Un autre adulte qui ignore comment ça marche dans la vraie vie.

On a beaucoup marché, beaucoup ri, beaucoup récolté. J'ai vu ma Juju, déguisée en coccinelle. Nous l'avons accompagnée à quatre maisons. Elle m'a fait le plus GROS bisou de coccinelle avant de rentrer chez elle. Ses parents étaient déguisés en parents coccinelles. Ils sont vraiment trop cool, les parents de Juju.

Après qu'un *nowhere* nous ait dit qu'il nous trouvait trop **vieilles** pour *courir* l'Halloween (**Ouate de phoque !**) et que les lumières ont commencé à s'éteindre ici et là, nous sommes revenues à la maison. Il n'est que 21 h. Je sais, ça a l'air tôt, mais le vrai plaisir commence après la tournée.

Nous recouvrons le plancher avec nos bonbons. Première étape : le classement de la récolte. Le chocolat, les **CHIPS** et les bonbons. Les pareils ensemble. On se remémore les moments forts de la soirée à partir des bonbons qu'on trie.

Lucienne est *démontée*, comme elle le dit elle-même. Tant de bonbons. Elle crie à l'indécence. Heureusement, elle ne nous cite pas *son temps* en exemple parce que ce n'est pas son style de radoter. Quand on ne recevait qu'une orange à Noël, difficile de supporter la vue de tout ce **glucose**.

Deuxième étape : le troc. Difficile à raconter, c'est long et on ne parle pas beaucoup. Dernière étape : l'entreposage des bonbons dans notre sac. Puis la super dernière étape : la **dégustation**. Lucienne est fatiguée et va se coucher. Super nouvelle, car nous avons un plan pour terminer la soirée.

Le 31 octobre, la frontière entre le monde des vivants et celui des morts est très ténue. (J'ai lu ça lorsque *j'étudiais* les lignes de la main.) Ténue, ça signifie fine. Il a fallu que je cherche dans le dictionnaire, car ni Lily ni moi ne savions ce que ça voulait dire. Qui cherche un mot dans le dictionnaire un soir d'Halloween ? Nous deux, on dirait bien.

Halloween est donc la soirée parfaite pour se faire un OUIJA. Ma mère en avait un lorsqu'elle était adolescente et j'aime bien le questionner de temps à autre.

Ça ne fonctionne pas toujours, un OUIJA, sûrement parce que les autres jours, la frontière entre le monde des vivants et celui des morts est hermétique, pas *ténue* comme aujourd'hui. Ce soir, ça devrait fonctionner. Ça **va** fonctionner. Ça se sent, ces choses-là. J'ai peut-être un vrai don.

On descend dans la salle de jeux qui est dans un coin reculé du sous-sol. Je l'aime, la salle de jeux, car on dirait un vieux grenier sans les toiles d'araignées. (Beurk !) Rien que des vieilles affaires que ma mère ne veut plus voir en haut. Mais on a tout ce qu'il faut et, surtout, on ferme la porte et on a la paix.

J'ai préparé une boîte dans laquelle j'ai placé tout ce qu'il faut pour communiquer avec vous savez qui. Une bougie. Un diffuseur électrique de PARFUM à l'arôme de pêche. (Je n'avais pas d'encens, il a fallu que je me débrouille.) Une boîte de gros sel et une cassette VHS, pour après. *Le projet Blaiiir !* Brrr !

Lily dépose le jeu au centre d'une petite table ronde. Elle tamise la lumière et dépose un voile rouge sur la vieille lampe que Lucienne nous a donnée quand elle a déménagé. Le voile rouge crée une ambiance gitane, c'est vraiment concept. Je dépose la BOUGIE près du jeu et je l'allume. Je branche le diffuseur. Avec le sel, je trace un cercle de protection autour de la table. Il faut le dessiner dans le sens des aiguilles d'une montre. (**Ouate de phoque !**) Je le fais très large, à cause de la finesse de la frontière ce soir. Les esprits malins ne pourront pas venir nous achaler. Le sel impressionne vraiment Lily. Elle a cessé de grignoter ses framboises suédoises.

On s'installe calmement. On dépose nos doigts sur la souris. Mes questions sont prêtes depuis longtemps. C'est toujours mieux de savoir ce qu'on veut parce que les esprits n'aiment pas qu'on les dérange pour rien. Si on hésite trop, ils retourneront à leur propre **party** d'Halloween et il faudra attendre l'an prochain pour que la frontière s'amincisse à nouveau. Je n'ai pas le temps d'attendre trois cent soixante-cinq jours pour savoir ce que je veux savoir.

– Esprit, es-tu làààà ?

Il faut toujours demander poliment à l'esprit s'il est là. Je demande *lentement*, d'une voix adulte et posée. Lily gigote un peu. J'ai l'impression que la souris s'est légèrement tassée vers la gauche. Vers le **OUI**. C'est bon. On peut commencer.

– Esprit, sais-tu si Antoine m'aime ?

Malgré le fait que nous soyons super bien disposées à accueillir un message des esprits, rien ne se passe. Vraiment rien.

– Est-ce que j'ai coulé mon oral en anglais ?

Je ne savais pas que Lily pensait encore à sa note d'anglais. La souris ne bouge pas. NIET. Aucun mouvement. *Nossing*. Peut-être que la prof n'a pas fini de compiler les notes. L'ESPRIT ne peut rien annoncer si les notes n'existent pas encore. Je vais le dire à Lily après la séance.

– Est-ce que je devrais inviter Antoine à la danse de l'école ?

Je sais, les esprits détestent qu'on les prenne pour des boules de cristal mais je ne perds rien à essayer. Toujours rien. Zut. On a tout fait comme il faut et la frontière est ténue et on pose des questions super simples. Il vaut mieux laisser les esprits EN PAIX. Je ne veux pas me chicaner avec les esprits parce qu'il faut éviter de se faire des ennemis pour l'éternité, je crois. Déjà qu'Aglaé doit me considérer comme son ennemie jurée depuis ce midi... Je n'ai pas besoin que les esprits se joignent à elle en plus.

– Merci, Esprit, d'être peut-être venu nous visiter. Retourne à ta petite fête.

Lily éteint la BOUGIE. L'odeur de la bougie qui fume me pique le nez. J'aime cette odeur un peu agaçante parce qu'elle me rappelle les anniversaires et les bougies qu'on éteint vite vite parce que la cire va COULER sur le gâteau et qu'on ne veut pas manger de la cire le jour de son anniversaire. Pendant que Lily redonne un peu de lumière dans la pièce, j'efface le cercle de protection devenu inutile. En balayant, je me demande s'il a été réellement utile ce soir.

Je prends soin d'EFFACER le cercle dans le sens contraire des aiguilles d'une montre parce que c'est comme ça et pas autrement. Je conserverai le sel pour une prochaine séance. Je n'ai rien lu là-dessus, mais il n'a pas l'air trop usé. Il est déjà passé minuit. Je suis fatiguée et teeellement déçue surtout. Mais pas assez pour ne pas écouter *Le projet Blair*.

Nous nous enroulons dans de VIEILLES couettes qui sentent bon la lavande et le renfermé. J'allume le magnétoscope et Lily y glisse la cassette. Temps mort. Des bruits de pas dans les FEUILLES mortes. Ça commence.

Puis quelque chose s'est détraqué et le magnétoscope a mangé la CASSETTE. Des bruits pas normaux du tout sortaient de sa bouche trop affamée. On aurait dit des plaintes de SOURIS ou des grincements de dents ou les deux en même temps. Je suis certaine que des étincelles sont sorties de la bouche de cette machine diabolique.

Lily criait. Je criais aussi en débranchant le magnéto. On est montées en courant. Lily a laissé tomber quelques précieuses framboises dans l'escalier. On s'est glissées dans mon lit même si j'avais monté un lit de camp pour mon invitée. Sans se brosser les dents ! On s'est collées. Lily TREMBLAIT. Moi ? J'avais trop PEUR pour ressentir quoi que ce soit. Si c'est ça, avoir une vie, peut-être que j'aime mieux ne pas en avoir.

– QU'AVEZ-VOUS FAIT AU MAGNÉTOSCOP-EEE ?

C'est mon père qui crie. Il regarde la bête endormie en se grattant la tête. Quand les adultes veulent se concentrer, pourquoi se grattent-ils la tête ? Pour réveiller de bonnes idées endormies ?

En stimulant la zone à idées cachée sous un point précis de son cuir chevelu, il affirme qu'il n'a jamais vu une chose pareille de toute sa vie (et peut-être même avant je suppose). Papa, je ne veux pas m'obstiner avec toi parce que tu vas sortir la cassette et nous sauver la vie, et c'est assez malhabile de contrarier quelqu'un qui s'apprête à nous sauver la vie, mais la véritable question est plutôt qu'est-ce que le magnéto a fait à la cassette. Je le sais parce que j'étais là, moi !

– Léa, il y a du sel par terre. Avez-vous mangé des bretzels hier soir ? Tu ramasseras ça.

Des bretzels ? C'est la meilleure. Je ravale un rire hystérique. J'ai bien pensé sortir l'aspirateur hier, mais passé minuit je me suis dit que ça pouvait attendre ce matin. Mauvaise idée ? Je pourrais lui donner des détails mais c'est un adulte et je doute fort qu'il soit capable d'assumer.

Le PARANORMAL n'est pas à la portée de tous et surtout pas à la portée de mon père. D'après ma mère, lui, c'est un cartésien. (Je sais. Elle parle comme un dictionnaire. Je vous l'avais dit.) Son domaine, c'est le concret, le **SOLIDE**, l'effort, la discipline et les chansons nulles. Pas les histoires d'esprits farceurs qui hantent un magnétoscope caché dans le fond d'un sous-sol.

Je passe l'ASPIRATEUR pour oublier cette soirée. En retournant en haut, je ramasse les framboises suédoises laissées dans l'escalier par ma future-**ex**-*BFF*. D'ailleurs, elle est déjà repartie chez elle ; elle allait magasiner avec sa mère ou quelque chose du genre. C'est un signe. Habituellement, elle reste longtemps, pour **ne pas** être avec sa mère.

Facebook. Je vais voir le profil de Lily. Elle a écrit : **Lily** a eu le party d'Halloween le plus débile de toute sa vie et digère ses bonbons en écoutant *Souvenirs d'été*.

Fiou !!!! Je croyais que Lily m'en voudrait jusqu'à la fin du secondaire et peut-être même après. Je l'ai attirée dans l'antichambre de l'ENFER. Elle aurait le droit de m'en vouloir pendant un ZILLION D'ANNÉES, au moins.

Dans un courriel adressé à ma mère, je lui ai demandé si elle avait déjà vécu des expériences avec OUIJA. J'ai vérifié six fois ma boîte de courriel et elle ne m'a pas répondu. Pas le temps de me répondre, elle s'intéresse aux AMÉRICAINES.

Mon père a réussi à dégager la cassette. Il l'a rapportée au club vidéo. Le RUBAN était étiré à trois endroits. Le commis a été compréhensif. « Une cassette qui a quinze ans est vraiment vieille, monsieur. Ça arrive souvent, des accidents comme celui-là. » Il rappelle à mon père que le club vidéo n'est pas responsable des dommages qu'aurait pu subir notre appareil. Il était sérieux, en plus. Tu ne veux pas savoir ce qui s'est vraiment passé la nuit du 31.

J'ai marché avec Lily. Il pleuvait sur les citrouilles abandonnées un peu partout. C'est trop triste, le lendemain de l'Halloween. C'est ce jour-là qu'on se rend compte que l'été est vraiment fini.

Je rêve peut-être mais Lily me racontait notre soirée comme si c'était la chose la plus mirifique qui lui soit arrivée. Je suis contente qu'elle le prenne comme ça. Très contente même.

– Léa, je sais que Ouija ne t'a pas répondu, mais sais-tu ce que tu vas faire pour la danse ? Vas-tu parler à Antoine ? Tu devrais, je pense.

Si OUIJA ne savait pas hier soir, comment je pourrais le savoir aujourd'hui ? Aucune idée.

– Si je le savais, Lily. Je ne veux pas avoir l'air folle – fou ? – s'il me dit non. Je vais y penser. Il reste onze jours. J'ai le temps d'élaborer une stratégie gagnante. (Ma mère serait fière de moi. Elle trouve que je parle vraiment mal et que j'adopte toutes les expressions à la mode. Elle s'attend à quoi ? Que je parle comme un dictionnaire ? Heureusement, cette tare familiale a sauté une génération.)

– T'as peut-être raison. En tout cas, tu viens à mon party de fête samedi.

Je ne manquerai pas son PARTY, c'est sûr. J'y vais depuis que nous sommes à la maternelle. Faut que je trouve quelque chose d'ORIGINAL à lui offrir. Et quelque chose à écrire sur ma A-Liste.

Il est 22 h. Ma mère ne m'a pas encore répondu. Je lui ai envoyé un courriel dans lequel j'ai simplement écrit *Bonne nuit, mamounette.*

Je n'ai pas d'idée de CADEAU pour l'anniversaire de Lily. J'ai ajouté trois étoiles sur ma A-Liste. Seulement des étoiles.

Cote du week-end : 12/10.

Quand il suffit
d'une liste, d'un joli cahier
et d'un stylo rose
pour prendre sa vie
en main

Autour de NOTRE table. J'arrive la dernière. Lily a déjà commencé à raconter notre soirée du 31, avec tous les détails nécessaires, et même plus. Les gars sont pliés en deux. Sabine pousse des cris TERRIFIÉS assez comiques. Karolina, qui s'était jointe à nous aujourd'hui, a changé de table en courant. Elle préfère être seule dans un coin plutôt que de partager la table des sorcières de Salem.

– C'est vrai ce qu'elle raconte, Léa ?

C'est Antoine qui me pose la question. Il faut que je réponde sans rougir. Quelque chose d'intelligent, préférablement.

– Malheureusement oui !

Je ne pense pas avoir rougi. Mais on collera l'étiquette *Je suis folle* sur mon front. Je ne sais pas ce qui est pire.

– Es-tu certaine que tu n'avais rien mangé d'étrange ?

C'est Jérémie qui a posé cette question. Oui, nous sommes certaines. Oui, le magnéto a bouffé la cassette. Oui, il faisait des BRUITS infernaux. Oui. Oui. Oui. Ils font ceux qui n'ont peur de rien, mais quand Sabine laisse tomber son couteau par terre, ils sursautent. Tous les trois. BAM !

4 NOVEMBRE

– La vie étudiante vous rappelle que la danse aura lieu le vendredi 12 novembre, de 19 h à 22 h. Les billets seront en vente à la cafétéria à partir de demain. Chaque billet coûte 8 $. Si vous achetez votre billet à l'entrée, il coûtera 10 $.

Deux ou trois gars grognent. Je ne rougis même pas et je continue.

– Vous pouvez inviter deux personnes qui ne fréquentent pas l'école. Les gens qui ne sont pas invités par un élève se verront refuser l'entrée. La sécurité sera assurée par des étudiants de l'école de police.

Je sens que certains sont impressionnés. Je me demande s'ils seront beaux, cette année. (L'an passé, c'était assez moyen.)

Je retourne à ma place après que **PVP** m'ait demandé s'il avait le droit d'inviter sa **petite amie** (Une fille amoureuse de **Petit-Voisin-Parfait** ?????????? Je veux vomir !!!!!!!!!!!!!!!!!!!!!) qui fréquente une **ÉCOLE PRIVÉE** (où ?????? dans le Nunavut ?!). Le prof d'histoire lui a dit qu'il aurait avantage à être attentif avant de poser des questions « trop pertinentes ». **PVP** a presque pas rougi même si le prof l'a subtilement encouragé à se taire. Je veux connaître son **SECRET** !

Je voulais vous dire, avant cette interruption tellement enrichissante, que le communiqué a fait son effet. Lily me lance des clins d'œil tellement subtils que même le prof d'histoire, qui est assez souvent dans la lune, l'a remarquée.

– Lily ! Ça va ? J'espère que vous aurez une belle soirée. On m'a demandé d'être surveillant. Je pense que je vais y aller, ça va me rappeler des souvenirs. Bon, passons aux choses sérieuses maintenant. Ouvrez *Repères*, à la page 57. Les revendications des autochtones.

Pas encore les AUTOCHTONES !!!!!!!!!! Il ne s'est tellement rien passé dans notre pays que les seuls éléments dignes de nous être racontés sont ceux qui ont trait aux autochtones.

– Vous vous souvenez de la culture des trois sœurs ? Maïs – courges – haricots.

– Monsieur, si je comprends bien, la culture des trois sœurs, c'est la culture des haricots, des courges et du maïs ? demande PVP qui n'a malheureusement pas l'air de blaguer.

Nous sommes tous sans voix. C'est quoi, cette question stupide ? Il va pas répéter tout ce que dit le prof. Ça me donne envie d'aller consulter l'infirmière pour un petit problème personnel, le temps que PVP cesse de faire le perroquet.

– Je constate que tu es toujours trèèès attentif, Philippe. Bon, y a-t-il d'autres questions au sujet de la culture des trois sœurs ?

Lily me regarde. Au bord de la crise de nerfs. Elle aussi.

À l'heure du dîner, tout le monde parle de la DANSE. J'essaie de deviner les intentions d'Antoine. Sabine et Jérémie veulent y aller, c'est évident rien qu'à les voir. Sabine se trémousse sur sa chaise et elle chuchote des choses *foule* secrètes à l'oreille de son amoureux qui sourit bêtement. Martin fait des blagues sur les étudiants de l'école de POLICE. Les parents de Karolina ne voudront jamais qu'elle y aille (elle a l'air de savoir de quoi elle parle).

Antoine ne dit rien. Je pousse ma jambe gauche avant que Lily me donne un coup de pied pour m'avertir que Sabine et Jérémie se rapprochent. Je suis si dans la lune que ça ? P.-S. J'ai bien reçu son message secret !

– Bye, *gang* ! Tu viens, Léa ?

Je ramasse mon cabaret et je suis Lily. Je ne sais pas pourquoi mais je devine ce qu'elle va me dire… Je n'ai même pas lu l'horoscope ce matin.

Sur ma A-Liste, j'ai écrit :

4. Demander à A s'il va à la danse

Machiavel – le rédacteur en chef, pas l'humaniste – a demandé à maman de rester plus longtemps à New York. Elle ignore quand sa « mission » (ça fait tellement **AGENT SECRET**, j'aime sa vie) sera terminée... Il est possible qu'elle vienne passer un week-end, mais elle ignore quand. Elle commence à me manquer, à **nous** manquer. C'est trop long, cette affectation.

Je n'ai pas demandé à Antoine. Devant tout le monde, c'est TROP gênant. Je veux lui demander, mais dans un endroit tranquille. Loin des oreilles indiscrètes de tout le monde. Cette condition augmente le niveau de difficulté.

Si je consultais quelqu'un qui peut me conseiller sans me juger ? Vite, le site de l'astrologue de Lily. (QUOI ? C'est comme un psy qui ne jugera pas mes idées étranges...)

Amours : Votre cœur soupire pour un gentil Roméo ? Qu'attendez-vous ? Passez du temps avec lui. **Amitiés :** Un peu de sport, ça rosit les joues. (Pas besoin de faire du sport, dans mon cas.) Bougez ! **Finances :** Ne lancez pas l'argent par les fenêtres. (Avec mon visou légendaire, aucun danger !) **Famille :** Le ciel est boudeur en ce moment ? Patience, le beau temps reviendra.

Il est drôle, l'astrologue. Ce n'est pas que je ne veux pas être avec Antoine. C'est que je ne sais pas comment passer du temps avec monsieur Roméo. Je pourrais faire du sport avec lui ? Je suis tellement maladroite, et lui, si habile. Pas besoin d'être un grand voyant pour savoir que je vais rougir bêtement. (Ma mère boude et reviendra lorsqu'elle aura fini, donc quand il fera beau ???? C'est pas trop clair, la prédiction au sujet de ma famille.)

Je suis dans mon lit et je fais l'inventaire des endroits et des moments où je pourrais lui demander seule à seul. Pour la danse, je veux dire !!! (Vous manquez un peu de concentration, je trouve.) *Nossing*. Le **trou noir**. C'est désastreux.

6 NOVEMBRE

Hier, j'ai trouvé le cadeau d'anniversaire de Lily. Un énorme tube rempli de ***bonbons***. Je ne peux pas dire combien il mesure. Mais il est plus haut que moi. Je sais qu'elle va vraiment aimer ça, Lily. Mon père a suggéré que j'ajoute une brosse à dents sur l'emballage... **OhMonDieu !** Ses blagues sont tellement nulles. Le problème, c'est que je ne sais pas si c'était une blague.

J'ai essayé d'emballer le **tube** pour qu'il ait l'air de tout sauf d'un lampadaire. Tellement pas évident que je l'ai enroulé dans du ruban. Un B.E.A.U. R.U.B.A.N., là.

On dirait la canne du roi des bonbons de Casse-Noisette. C'est concept, puisque Lily est la reine du Monde des sucreries.

Il faudra que je me rende chez elle avec ça. Traverser le quartier. OhMonDieu ! Tout le monde va me regarder croche. J'ai vraiment hâte d'être assez vieille pour pouvoir faire des choses folichonnes sans me faire dévisager comme si j'étais la sœur débile de *E.T.* Les adultes se méfient trop des ados. S'ils faisaient un effort pour retrouver l'ado en soi (je suis trop spirituelle), ils auraient l'air moins constipés et ce serait mieux, je trouve. Les fêtes me rendent intense, ça a toujours été comme ça.

Je porte mes BOUCLES d'oreilles achetées en même temps que Sabine. Je me suis maquillée, assez mais pas trop. J'ai changé au moins huit fois de camisole et de chandail pour retenir finalement le chandail noir que j'ai acheté avec Sabine. Sous le CHANDAIL, une camisole rose de chez ROSIE. J'espère que Sabine aura plus d'imagination que moi !!!

J'ai traversé le quartier avec le super tube de la reine du Monde des sucreries sur l'épaule. Il n'y a que la vieille Ida qui m'ait regardée *croche*, derrière son rideau de dentelle qu'elle soulève en tremblotant. La vieille Ida, ça ne compte pas. Elle se regarde *croche* elle-même.

Lily a organisé une soirée disco. Nous serons quelques filles et pas de gars parce qu'ils sont trop immatures pour DANSER sans niaiser. Déjà qu'il y aura la danse de l'école vendredi prochain. Il ne faut pas trop leur en demander...

Quand je suis arrivée, c'est la sœur de Lily – l'insupportable Moucheronne (c'est Lily elle-même qui le dit) – qui a ouvert la porte. Elle a poussé un cri quand elle m'a vue. J'ai crié aussi, sans trop savoir pourquoi, mais je sentais que c'était ce que je devais faire. Une sorte de mot de passe. Lily est arrivée et a crié aussi. Nous étions trois dans le hall et nous criions en sautillant.

– C'est pour toi, tu devineras jamais ce que c'est.

– C'est *foule* haut. En plus, ça fait du bruit quand on le secoue. Un hochet ?

Lily balançait le tube de tous les côtés en riant. Sa sœur sautait autour d'elle, excitée comme une puce. Heureusement que sa mère est venue débarrasser Lily. Elle m'a saluée rapidement. Elle me salue toujours rapidement. Je n'ai jamais su pourquoi.

Lily m'entraîne dans le sous-sol. Je suis la première arrivée. Lily a invité Sabine, Karo, Margot et Stéphanie, deux filles du CAMP de jour (Push-Push à Maringouins n'était pas libre). Sa sœur aussi est invitée, même si elle est seulement en cinquième année. Si elle avait pu, Lily aurait expédié sa sœur en Tanzanie. D'après sa mère, ça ne se fait pas, alors sœurette nous collera aux fesses toute la soirée. Ce sera plus difficile de se faire des CONFIDENCES.

Je ne suis pas très douée pour le mime, malgré les efforts de notre prof d'art dramatique. Surtout que sa sœur est du genre panier percé. On sonne à la porte. La sœur de Lily crie. Karo arrive.

Les Bee Gees s'égosillent sur *Stayin' Alive* et nous nous déhanchons. Ils chantent comme des filles, ces gars-là. C'est un beau party même si Sabine porte le même chandail que moi (elle a autant d'imagination que moi !) et fait les mouvements Y-M-C-A tout à l'envers. Elle me fait un peu honte car elle danse vraiment comme une GIRAFE. Elle ne parle presque pas de Jérémie. C'est une bonne chose parce que ses histoires, je les connais toutes, et j'ai quand même une bonne mémoire. J'en ai assez de l'entendre nous dire à quel point c'est merveilleux d'être en amouuur ! Je m'en doute !

Stéphanie m'a raconté des anecdotes sur un gars qui la fait craquer. Elle le trouve cool. Depuis deux ans. C'est une maladie contagieuse, je crois, la paralysie amoureuse. C'est peut-être un virus qui court dans notre quartier. On s'encourage mutuellement en se tapant dans le dos et en buvant des boissons gazeuses. J'aimerais ça, voir le fameux gars trop cool.

Lily ne s'est pas encore chicanée avec sa sœur. Ça paraît qu'elle est plus vieille et plus mature qu'hier. Quand sœurette n'est pas là, Lily est plus mature, comme par MAGIE. De la distance, c'est la clé de la bonne entente entre ces deux-là.

On frappe à la fenêtre du sous-sol. Moucheronne s'était volatilisée sans qu'on s'en aperçoive. Notre chance vient de tourner, on dirait.

Moucheronne est dehors, avec trois autres moustiques échappés de leur ESSAIM. Elles font quoi ici, elles ?

– On vous espionne. Vous avez teeeeellement l'air stupides ! Na, na, na, na, sté-in-ne-lave ! Sté-in-ne-laaave !

Les moustiques nous *imitent* en dansant comme des CHENILLES électrocutées (on ne danse vraiment pas comme ça, leur style est immonde). Lily ferme le rideau et monte le son. Nous nous laissons entraîner sur de la musique que nous ne connaissons pas vraiment – *In the Navy ?* – mais on s'en fiche parce qu'elle est rythmée. Les moustiques se déchaînent et crient au lieu de BIZZBIZZER. Ça va mal finir, je le sens.

Des pas dans l'escalier. La mère de Lily est en colère. (Je vous l'avais dit que ça finirait mal.) Elle veut que Moucheronne se joigne à nous. En compagnie des fameux moustiques. Parce qu'on n'est vraiment pas gentilles de rejeter les plus jeunes. Blablabla. Lily argumente que c'est SA fête et qu'ELLE peut inviter qui ELLE veut. En désespoir de cause, sa mère utilise le procédé le plus déloyal du monde entier.

– Vous, les filles, ça ne vous dérange pas que Moucheronne et ses MOUSTIQUES (elle a pas vraiment dit Moucheronne et ses moustiques, là... j'ai traduit sa pensée assez librement) se joignent à vous, n'est-ce pas ?

Qui osera dire que, FRANCHEMENT, Moucheronne, ça peut aller, vu qu'elle a manqué le BATEAU en partance pour la Tanzanie. Mais les moustiques, on s'en passerait. Il faudrait vraiment qu'elle retrouve l'ado en elle, la mère de Lily, pour comprendre comment ça fonctionne dans le monde aujourd'hui. Elle a tout oublié. Vraiment tout.

– Ça nous dérange pas madame, a dit Sabine de sa voix la plus ANGÉLIQUE.

Elle battait des cils juste un peu, mais de manière synchro. **À méditer** : faire battre mes cils en parlant avec une voix de SOURIS. Ça fonctionne quand c'est synchro. Je ne sais pas pourquoi, mais ça fonctionne.

La mère de Lily a eu le sourire de celle qui a gagné. Elle remonte pendant qu'une nuée de moustiques s'abat sur nous. On se sauve dans la chambre de Lily avant qu'elles ne nous imposent la musique de *High School Musical* parce que le DISCO c'est trop *pouiche* et que Troy est trop beau. **OhMonDieu !** Elles ont des expressions tellement nulles. Ici, dans la chambre de Lily, on va pouvoir se raconter nos affaires en paix.

On frappe à la porte. NONNN ! Je suis une pacifiste qui choisit ses batailles. Je suis une pacifiste qui...

– Bonne fêteee Lilyyy ! Ouééé !

– Qu'est-ce que c'est, ton cadeau pour Lily, Léa ? hurle Moucheronne.

– Tu le verras en même temps que les autres, ma belle. Un cadeau, ça se dit pas. Tu savais pas ça ?

Ma réplique m'étonne. Jamais je ne réponds aussi sec. La mère de Lily me REGARDE comme si je venais de lancer une poignée de dards sur sa fille. Oups.

Il est passé minuit. Je suis dans mon lit et je n'arrive pas à dormir. Lily a adoré son cadeau. La soirée s'est terminée dans le délire. Margot était déchaînée. Suffisamment pour que Ginette – la mère de Lily – décrète que Margot a une MAUVAISE INFLUENCE sur nous toutes (mais pas sur Sabine, sauvée par ses faux cils magiques). Ginette devait être derrière la porte lorsque nous jouions à *Vérité ou conséquence*. Margot n'est pas du genre à mentir quand on lui demande la vérité ou à reculer si la conséquence ne lui plaît pas. Elle fonce. Même si les parents s'étouffent dans leur dentier derrière une porte fermée.

Elle sait bien s'amuser Margot. Même Moucheronne est d'accord là-dessus. Il n'y a que les adultes qui ne comprennent pas. Il y a un nom pour ça. L'adultite aiguë. Ginette semble gravement atteinte de cette maladie. Certainement incurable dans son cas.

Mon carnet tout choupinet est ouvert. Ze A-Liste s'étale devant moi. Mon stylo à l'encre rose (il est trop beau !) s'obstine à dessiner un soleil puis à l'entourer de petits NUAGES joufflus alors qu'il devrait se concentrer sur la recherche d'idées géniales.

Il faut vraiment que je fasse signe à Antoine cette semaine car la danse, c'est vendredi. C'est une super occasion que je ne dois pas laisser filer. Il n'y a que deux danses par année à l'école. Si je manque la danse d'automne, il restera la danse du PRINTEMPS.

Je lis et je relis le seul point sur Ze A-Liste :

4. Demander à A s'il va à la danse

Je voulais raturer pour écrire *Inviter Antoine à la danse* mais mon stylo a cessé subitement de **fonctionner**. Comme s'il boudait mon idée. C'est un signe.

À part les petits nuages grassouillets, rien n'a changé sur ma A-Liste. J'ai joué les entremetteuses pour Sabine. Je devrais être capable de m'occuper de ma propre vie sentimentale. Je comprends pourquoi OUIJA ne m'a pas répondu. Je suis une cause désespérée. Antoine est une cause désespérée. Ouija ne peut rien pour les crétins.

Cote du week-end : 8/10. Beau party ♥♥♥♥. Même si la mère de Lily est très déçue du comportement puéril (**Ouate de phoque !** Elle aussi parle comme un dictionnaire poussiéreux. Une autre manifestation de l'adultite aiguë, c'est évident.) de jeunes-filles-qu'elle-croyait-sérieuses-et-qui-sont-plus-

-que-Moucheronne-et-les-moustiques. Je résume sa pensée.

✿ ✿ ✿

Facebook. Profil de Lily. Lily est... en train de manger ses bonbons en écoutant Katy Perry. Lily a téléchargé des photos. Je suis trop FLUIDE quand je danse le disco. La danse me manque, j'ai vraiment hâte de rejoindre ma troupe de danse contemporaine en janvier prochain. Mon nouveau chandail me fait bien. Il met ma poitrine en valeur, enfin, celle que j'aurai un jour. Je suis très prévoyante ! Il aurait pu être plus décolleté. De toute manière, un décolleté est utile lorsque... quand... si... Zut. Je rougis en écrivant au sujet de mes seins en devenir. J'aurais pu me maquiller un peu plus. Je devrais porter des faux cils la prochaine fois, ça me rendrait plus mystérieuse et plus efficace auprès des adultes. Léa, Léa, Léa. Tu dérapes toujours lorsque tu te couches passé minuit.

Lily a un troisième œil. Comment a-t-elle pu prendre ces photos en pleine action ? Je laisse quelques commentaires insignifiants, du style : « Wow ! » « *Nice pic !* » « J'ai l'air fou – folle ? –, enlève-moi cette photo » alors que je veux qu'elle la laisse parce que je suis trop belle et que je souhaite plus que tout qu'Antoine la voie. Sait-il seulement que Facebook existe ? Il n'a pas de compte, en tout cas. Je le sais parce que je cherche son NOM chaque fois que je vais écrire un commentaire dans mon profil.

J'écris à ma mère qui sera à la maison pendant le week-end de Thanksgiving[9]. Machiavel a donné son accord. **Cote révisée du week-end : 9/10.**

8 NOVEMBRE

Le prof de sciences nous a remis nos photos de classe juste avant l'heure du dîner. Pendant cinq minutes, on a entendu des « Oh non, je suis tellement laide ! » « Pouah ! mes CHEVEUX étaient vraiment trop longs ! » « As-tu vu Brisebois ? » Je me trouve pas mal, mon maquillage était beau, mais j'aurais dû porter des faux cils. **Note à moi-même** : je veux des faux cils pour Noël !

Brisebois est sur notre photo. Elle gâche tout avec son air de « jeune » diplômée de l'école de police. Notre prof aussi est là, je ne sais pas comment ils ont fait ça. OK. S'ils ont pu rajouter notre

---

9. Congé férié américain, célébré le quatrième jeudi de novembre. On mangera encore de la dinde, youpi !

titulaire alors qu'il était absent au moment de la photo, leur logiciel pouvait aussi effacer Brisebois qui n'avait pas d'affaire là. À moins que le LOGICIEL ne fasse que des additions, pas de soustractions. Lily a l'air de réfléchir intensément, c'est vraiment drôle. Très très intello. PVP a l'air tellement parfait avec ses bras croisés. Dommage qu'on n'ait pas réussi à le camoufler.

10 NOVEMBRE

IL FAUT QUE JE PARLE À ANTOINE. Il FAUT que je sache s'il va à la danse. C'est mieux de savoir que de ne pas savoir. Ce midi, il faut que je trouve le moyen de lui parler. OK. S'il reste du CHILI à la café, je lui demande. Faites qu'il reste du chili ! Faites qu'il reste du chili !

– Léa, tout va bien ?

Je REVIENS sur terre pour constater que je croisais les doigts. J'espère que je ne plissais pas les yeux en même temps. Le prof de math me dévisage à travers ses lunettes bioniques. Je rougis en me demandant pourquoi il porte encore des chemises à manches courtes au mois de novembre. C'est très laid, monsieur, juste pour vous informer.

Je regarde l'horloge toutes les deux minutes et le prof le voit bien, sans doute grâce à ses lunettes dotées de super pouvoirs. Il s'habille mal, mais il n'est pas STUPIDE. On dirait qu'il y a un radar dans ses lunettes et qu'il détecte les étudiants qui pensent à autre chose qu'à ses polygones chéris. Merci à **PVP** qui lui a posé une troisième question en moins de dix minutes sur l'aire des polygones irréguliers qui mangent du chili. Euuuh ! Je ne sais pas ce qu'il a dit et, franchement, je m'en fiche tellement. J'ai de **véritables problèmes**, moi.

– Léa, tu pensais à quoi pendant le cours de math ? Tu croisais les doigts comme si tu faisais un vœu. T'étais assez drôle, ma chou !

Je lui réponds quoi ? J'invoquais les DIEUX des cuisines pour qu'il reste du CHILI afin que je puisse trouver le courage de demander à Antoine s'il va à la danse vendredi ? Pense vite, Léa. Tout le monde te regarde.

– Je pensais à vendredi, à la danse. Qui vient ?

En disant cela, j'ai croisé les doigts sous la table, et je regardais Antoine intensément. S'il ne comprend pas, c'est qu'il souffre d'une neuronite foudroyante.

Les gars parlent tous en même temps. Karolina ne viendra pas, ses parents ne veulent pas, elle est trop jeune. **Ouate de phoque !** Lily me donne un autre coup-de-pied-signe-secret-avertisseur-de-quelque-chose. Je suis endurcie, ça ne fait presque plus mal. Mais je comprends pas vraiment son message supposément *foule* clair. Elle pense que Karo n'est pas trop jeune pour danser en public (**Ouate de phoque !**) ou elle trouve que je tourne autour du pot avec Antoine ? (Ça vient d'où, cette expression ? Qui dépose un pot par terre pour tourner autour ? En tout cas, je n'ai jamais vu quelqu'un faire ça.)

– Jérémie va être là, lui, hein, Jérémie ? a inutilement souligné Sabine, pâmée sur son cher amoureux qui va venir à la danse, LUI !!!

En plus, ils se chuchotent des secrets trop importants en **souriant** à propos de rien.

– Les *Verts*, décidez-vous ! Les *non Verts* vont être plus nombreux que vous, si ça continue.

J'espère que je n'avais pas l'air trop désespérée.

Antoine ne dit rien. J'avale du **CHILI** pour me donner du courage.

– Les gars, si vous êtes pas là, ça va être trop plate !

J'espère que je n'ai pas **CRIÉ** mais je ne peux jurer de rien. Pourquoi j'ai dit « les gars » ? OK, je regardais Antoine avec beaucoup d'intensité, mais je n'ai pas eu le courage de le nommer personnellement devant tout le monde.

– Ça se pourrait, a répondu Antoine en me regardant du coin de l'œil, les joues un peu roses.

Je ne sais pas si je l'ai **SOULIGNÉ**, mais il a de *foule* belles joues. Ne rougis pas, Léa, ne rougis surtout pas. Raté.

– Léa, tu viens ? Tu m'as promis de m'expliquer l'accord passé du participe avoir qui se place devant le pronom du polygone ! Léa, VIENS, tu sais bien que je comprends rien en français.

Je me lève en regardant Lily. Je dois avoir l'expression **ouate de phoque !** tatouée sur le visage parce que je plisse les yeux en hochant la tête. Elle n'avait vraiiiment pas besoin de SOULIGNER qu'elle ne comprenait rien, c'était assez évident rien qu'à l'entendre.

– Je peux m'occuper de ton cabaret, si tu veux, Lily.

Hein ??????? Pourquoi Guillaume veut-il s'occuper du cabaret de Lily ? Elle le remercie rapidement avant de sautiller vers la salle de bains. **Ouate de phoque !**

– Il a dit *Ça se pourrait*. Penses-tu qu'il va venir ? En plus, ses joues étaient ROSES ! Crois-moi, c'est tout un signe ! Le meilleur, je dirais !

– C'est certain, ma chou. Il sera là. Pourquoi il aurait dit ça s'il n'avait pas l'intention de venir ? Franchement, ce serait VRAIMENT stupide.

– Mais j'ai dit *Les gars, si vous êtes pas là, ça va être trop plate*. Il a dit *Ça se pourrait*. Peut-être qu'il pense que ça pourrait être plate s'il n'est pas là. Il a raison, remarque.

– Léa, tu compliques toujours tout. Il a dit que *ça se pourrait* qu'il soit là. Le reste, c'est dans ta tête. Tu penses trop ! Franchement, les gars ne sont pas si compliqués que ça.

La porte s'ouvre. Madame Geoffrion se dresse dans l'encadrement de la porte. Nooon, pas elle !

– Les filles, si vous avez fini, sortez. Ce n'est pas...

– ... un salon étudiant ici.

Lily a complété la phrase de Geoffrion naturellement, sans y penser. Je le sais, l'arrogance, ce n'est pas son genre. La FOLIE, oui. L'arrogance, non.

– Tu es pas mal impolie, ma petite. La prochaine fois, c'est la retenue. SORTEZ !

Nous sortons. Sans courir, parce qu'on ne court pas dans les corridors. On suit le **CODE DE VIE** à la lettre, nous.

– Pouvez-vous vider vos poches, mademoiselle ?

Quand c'est un futur policier **gros** comme Hagrid[10] qui l'ordonne, on obéit. Je vide mes poches. Je dépose une pompe de Ventolin pour l'asthme. Pensait-il que c'était un revolver ? Ouuuh ! On va penser que je

---

10. Rubeus Hagrid, gardien des clés à Poudlard, école fréquentée par Harry Potter. Hagrid est né d'un père humain et d'une géante, ce qui explique qu'il soit plus grand que les humains qui l'entourent. Ça n'explique pas ses cheveux crépus, cependant.

mène une double vie. Je serai célèbre dans toute l'école. La fille qui s'est fait refuser l'entrée à la danse parce qu'elle a eu un comportement très louche et qu'elle cachait des choses encore plus louches dans la POCHE de son jean. Tout le monde connaîtra mon prénom et j'imposerai le respect dans les corridors...

– Mademoiselle... **Mademoiselle !** C'est beau. Vous pouvez entrer.

Je ramasse ma pompe qui n'a rien de louche dans la vraie vie. Aucun sourire de la part du constable. Hagrid, lui, il sourit au moins. Je suis avec Lily et nous allons rejoindre Sabine qui est tout excitée. C'est sa première danse avec son aaamoureux. Elle rit trop et agit comme si elle n'avait plus de cerveau depuis qu'un gars lui tient la main. Mais elle porte des faux cils.

Je regarde autour. Antoine n'est pas là. Il est encore très tôt. Antoine, Guillaume et Martin ne sont pas là, mais il y a beaucoup d'élèves de secondaire. C'est très humiliant, nous sommes arrivées trop tôt. Je le savais. À RETENIR : NE JAMAIS ARRIVER PILE À L'HEURE D'OUVERTURE. Jamais. C'est une autre règle non écrite.

Nous nous dirigeons vers le bar en essayant d'avoir l'air relax. PAS DE PANIQUE, les finissants vendent des boissons gazeuses, de l'eau et des jus. Nous restons près du BAR parce que le beau Tactac est caissier ce soir. Pas plus beau qu'Antoine, mais quand même.

Quand je vois Tactac, je tape toujours sur l'épaule droite de Lily. C'est pour ça qu'elle l'a baptisé Tactac. Il est peut-être beau mais il ne sait pas que j'existe. Aucun risque que ça m'éloigne d'Antoine. De toute façon, il n'est même pas arrivé.

La musique est bonne. Sabine est sur le bord de la piste et secoue ses bras dans les airs pendant que son aaamoureux danse avec Marie-Luce. **Ouate de phoque !** Mais pourquoi Jérémie danse avec Marie-Luce ?!! Lily a repéré Aglaé qui nous offre sa moue à la fois chic et boudeuse. Elle ne danse pas, elle observe les autres.

Il y a des groupes de filles qui se dandinent mollement en regardant autour d'elles pour s'assurer qu'on les remarque. Plus loin, quelques gars qui se racontent des histoires très drôles parce qu'ils rient très fort. Moi, je regarde la porte. Il y a beaucoup de gens qui arrivent, mais pas de bel Antoine.

– Hey, les filles. Salut.

Guillaume est là. Avec Samuel, un *Vert*. Ils sont beaux, sans leur uniforme.

– Léa, il faut que tu danses. Viens.

Ne rougis pas, Léa. Ne rougis pas. Deux bras inconnus me propulsent vers l'avant. Je me retrouve sur la **PISTE** avec Guillaume. Lily et Samuel nous rejoignent. Nous nous déhanchons timidement. Puis Lily lève les bras dans les airs et fait son air **DISCO Girl 1976**. Elle est déjà tellement dedans. Elle nous entraîne avec elle. Pas le choix.

Moi, je regarde encore vers l'entrée mais la musique me distrait. Je ne peux pas ne pas embarquer. Et Guillaume sait danser. Je suis assez étonnée. Je croyais que, sur une piste de danse, les gars étaient tous des MAMMOUTHS en pleine ère glaciaire. Pas lui.

Lorsque je me retourne – une éternité a passé, je crois –, je remarque que Sabine est seule sur le bord de la piste. Ma girafe électrocutée manque d'électricité. Son Monsieur Girafe danse avec Aglaé. Quoi ? Je lui fais signe. Elle ne bouge pas. Je la rejoins, puis je la tire avec nous. Pourquoi Monsieur Girafe ne danse-t-il pas avec elle ? À quoi sert d'avoir un aaamoureux s'il ne danse pas avec nous à la danse de l'école ? Vraiment, je ne vois pas l'utilité. De plus, elle porte ses faux cils magiques. Qui les a désactivés ?

Autre regard vers l'entrée. Pas d'Antoine. Zut, la MUSIQUE est devenue plus douce. Pas le choix, nous ralentissons le rythme. On ne danse pas le disco effréné quand la musique est plus lente. C'est comme évident. Même pas besoin d'écrire cette règle. Franchement, tout le monde sait ça.

Sabine éclate en sanglots. Quoi encore ? Jérémie danse maintenant avec Karolina (qui a vieilli depuis la semaine passée et qui est venue !). **Ouate de phoque !** Mais qu'est-ce qui se passe ? Il est « supposément » en amour et il ne danse pas avec sa belle girafe ? Qu'est-ce qu'il n'a pas compris ?

– Sabine, viens. On va prendre l'air, dit Lily.

Nous nous dirigeons vers la sortie pendant que tout le monde regarde Sabine PLEURER. C'est trop humiliant. Une fois dehors, elle marmonne en pleurant. Nous ne comprenons rien. Elle doit maudire Jérémie et Karolina et Aglaé et Marie-Luce. C'est la seule explication logique qui me vienne à l'esprit.

Je voudrais bien retourner à l'intérieur. Antoine est peut-être arrivé. Pourquoi n'est-il pas venu ? Il a dit *Ça se pourrait* et il n'est pas venu. J'ai hâte de dire à Lily que j'avais raison. Je ne complique pas tout, je sais lire entre les lignes. Je crois que c'est différent.

OhMonDieu ! Le ciel est tout plein d'étoiles. Ce n'est tellement pas ma soirée ! Il n'y a même pas d'étoiles FILANTES qui me permettraient de formuler un souhait. Pas d'étoile filante, pas de souhait, pas d'Antoine. Tout s'explique. On va rentrer. Miss faux cils s'est calmée. Jérémie est tellement immature. C'est décourageant.

Qui est ce gars qui porte des lunettes fumées style aviateur, un foulard de peintre et qui danse comme un déchaîné ? Ce n'est pas Antoine, mais j'ai l'impression que je le connais bien. Il fait SOMBRE, mais ses mouvements me sont familiers. Je passe à côté en bougeant d'une manière que je souhaite cool. Les lèvres posées entre les lunettes et le foulard me sourient.

– Léa, tu deviens snob, ma poule. Tu ne salues pas tes vieux potes ?

C'est Benjamin. Benjamin !!!!!! Avec des lunettes fumées de style aviateur. J'aurais dû y penser. Y a que lui pour se déguiser pendant un party non déguisé.

– Euh... Je ne t'avais pas vraiment reconnu, Benjamin. Tes lunettes... Ça te change pas mal.

BRAVO, LÉA ! Cette réplique va certainement rester gravée dans le grand livre d'histoire des danses de l'école. En voie vers la compétence, ma poule.

– Vous m'accordez cette danse, madâââme ?

Et il me fait une révérence. Une chance que les lumières sont tamisées parce que je dois être rouge jusqu'à la pointe des cheveux. Je dis oui, bien entendu. C'est un secondaire quatre. Je suis une secondaire deux. Benjamin se met à danser comme un ROBOT et il rit comme un fou. Sans réfléchir, je fais comme lui. Je danse comme une robot (une robotte ? Un robot.) et je ris aussi. OUPS, la musique vient de changer. Ce n'est plus un son très robotique. Benjamin s'arrête d'un coup sec. Comme un robot dont les piles sont épuisées. Il prend ma main et y dépose un baiser. Je rougis tellement. Mais c'était vraiment agréable de faire les fous comme si personne ne nous regardait.

Il est 21 h 30. Plus personne ne peut entrer. Antoine ne viendra pas. Guillaume n'est pas très loin. Il me sourit. Il est chouette, Guillaume. Il mime celui qui veut danser. Il met de l'ambiance, lui. Je le rejoins avec Lily. Je danse sans penser à rien, parce que si je pensais, je serais trop triste, mes jambes et mes bras seraient peut-être paralysés et je ferais ma face de pruneau déshydraté, alors je débranche mon cerveau et je bouge au rythme de tout ce bruit. Peut-être même que je souris. Je ne sais plus trop. Je ne peux pas me voir. C'est peut-être mieux comme ça.

Les lumières du gymnase se rallument. POUAH ! C'est laid, un gym, un vendredi soir, à 22 h 30. Glauque et laid. J'ai l'impression de sortir d'un rêve.

– Guillaume ! Tu danses *foule* bien. Je savais pas ça.

Je m'étonne moi-même. Capable de dire ce qu'il faut, quand il le faut. Sans rougir. Et je n'avais même pas de faux cils ! C'est une situation passagère. Minuit va sonner et je vais redevenir la courge que je suis trop souvent.

– J'ai pas de mérite, mes deux sœurs vont au cégep. Elles organisent souvent des parties dans le sous-sol. Quand il manque de gars, elles m'invitent. Elles m'invitent souvent, ajoute Guillaume en fixant Lily.

– Guillaume, veux-tu des framboises ? Léa ?

Si Lily distribue ses derniers bonbons, c'est que la soirée est vraiment terminée. Je regarde par terre. Nous écrasons les serpentins et les CONFETTIS qui traînent sur le sol. C'est toujours moche, un plancher de gym couvert par les cadavres d'un beau PARTY.

Je remarque à peine le prof d'histoire qui DANSE en se dirigeant vers les vestiaires. Il s'est déguisé en John Travolta pour avoir l'air plus fou que d'habitude. Très réussi.

Je me dirige vers le **STATIONNEMENT** avec Lily, où les parents nous attendent, un sourire un peu bête sur la figure. Pourquoi ce **SOURIRE** étrange ? On a l'air folles ? (Oui, folles.) Lucienne est là, avec mon père.

Je souhaite qu'ils soient trop fatigués pour me questionner parce que trop de choses tourbillonnent dans ma tête. Il faut que je réfléchisse. À Antoine et ma A-Liste. Je vais donc faire semblant de DORMIR.

À la maison, j'ai rassuré tout le monde. Oui, j'ai passé une *belle veillée* comme le dit Lucienne. (Ce qui est vrai quand j'y pense.)

Pré-cote du week-end : 7/10. Antoine était absent alors qu'il a dit *Ça se pourrait* 😒 😒 😒 😒 😒. Guillaume danse vraiment bien et aimait danser avec nous ♥♥♥♥. Benjamin est fou et on a eu trop de *fun* quand on faisait les robots ♥♥♥♥. Lily m'a réellement fait rire avec ses mouvements néo-disco ♥♥♥♥. Jérémie est tellement immature, il me fait honte. 🙄

Facebook. Avant de me coucher, j'ouvre la fenêtre *Exprimez-vous*. J'écris : *Je ne t'ai pas vu. Étais-tu là ?* J'éteins l'ordi et je me couche. Comme Antoine n'a pas de compte, je doute qu'il lise mon commentaire. Mais ça fait du bien de confier sa peine au COSMOS. (J'ai lu ça quelque part ou c'est peut-être Lucienne qui en parlait. En tout cas, ce n'est pas de moi, une nullité pareille. Je ne suis pas encore atteinte d'adultite aiguë.) Je dévisage Edward Cullen qui me semble assez PERDU lui aussi. Il est simplement trop beau et mon trouble ne le touche pas.

13 NOVEMBRE

Samedi matin. Il est 8h 31. J'essaie d'écouter *Bob l'Éponge*[11] à la télé en mangeant des sandwiches aux bananes écrasées. Ma tâche est entravée par une hystérique qui a déjà laissé trois messages « trop urgents » pendant que je dormais encore. Lucienne a beau être zen, elle commence à se faire du souci pour moi.

Ça y est. Quatrième appel. Lucienne prend un air CATASTROPHÉ en me tendant le récepteur.

– Oui ?

– **ENFIN !!!** Pourquoi tu me rappelais pas ? Je m'inquiétais pour toi. T'es pas trop triste ? As-tu bien dormi ? Pauvre chou !

---

11. Vous en écoutez sûrement des dessins animés insignifiants. Ne dites pas non. Tout le monde le fait !

– Lily ? C'est toi ? dis-je en blaguant parce que je SAIS qu'il n'y a qu'elle pour téléphoner aussi tôt un samedi matin.

– Non, c'est Brisebois ! Ouiiiiiiiiiiii, c'est moi. Comment ça va ?

– Chuper bien ! J'allais te rappeler après *Bob l'éponge* !

Je réponds en mangeant mon sandwich. Je sais, ce n'est pas trop POLI mais je dé-tes-te les sandwiches aux bananes écrasées froids.

– Pourquoi ça irait mal, Lily ? On a eu un super party, hier soir. À part Jérémie qui a atteint un sommet inégalé sur l'échelle de la *moronitude*...

– Sabine est dévastée, ce matin. Va voir son Facebook, tu vas tout comprendre. Il va falloir qu'on fasse quelque chose parce qu'ils vont *casser*, c'est certain.

– Lily, Lily, Lily, Lily. Je pense qu'on en a assez fait comme ça. En tout cas, moi, j'en ai assez fait. Tu veux vraiment qu'on sauve la vie amoureuse d'un GARS qui est atteint de crétinisme au stade avancé ? Moi, je vais m'occuper de ma... de mes affaires. Pour notre duo, je ne m'en mêlerai pas !

– **QUOI ? TU LES LAISSES TOMBER ?** crie Lily au bout du fil.

Lucienne l'a entendue même si elle est à l'autre bout de la cuisine. L'air intrigué, elle me regarde. Je vais me faire questionner. À cause de Miss Hystérie.

– Lily, je pense pas que je vais m'en mêler. Après ce que Jé a fait hier ? De toute façon, comment tu veux que je règle leur problème ? Je ne peux même pas organiser ma vie correctement. (J'ai chuchoté la dernière phrase, ce qui a éveillé les soupçons de Lucienne, qui LAVE maintenant le comptoir sur lequel je suis assise. Croyez-moi, il va être propre, ce bout de comptoir. Usé même, je dirais. Propre mais usé.) Qu'est-ce que tu manges, Lily ?

– Un reste de framboises suédoises. C'est *foule* bon le matin. Tu essayeras ça avec du yogourt à la vanille. Ma dernière création.

– Lily, c'est dégoûtant. T'es trop folle, je raccroche. Salut !

Je saute en bas du comptoir. Lucienne a envie de poser les mille questions qui défilent dans son cerveau mais elle retient sa langue. C'est pour ça aussi que je l'aime. Elle sait respecter l'intimité des gens, même si parfois, elle exagère sur le frottage de comptoir propre.

Je vais aller courir. Il fait BEAU. Ça me permettra de réfléchir et d'ajouter une activité à mon sportfolio qui en a cruellement besoin. Je pense que Bilodeau trouverait exagéré que je mette la DANSE d'hier soir dans mes activités physiques de niveau modéré-intense. (C'était *foule* INTENSE, mais pas pour les raisons invoquées dans le programme scolaire.)

À mon retour, il y a des muffins aux framboises tout chauds sur le comptoir *foule* BRILLANT. Je ne m'en sortirai pas aussi facilement que je pensais. J'ai couru 4 kilomètres en 25 min 43. Pas mal pour une fille qui a dansé pendant trois heures hier soir.

Je BRISE le muffin en deux. Un petit filet de fumée en sort. Je beurre légèrement. J'attends que le beurre fonde puis je croque dedans. J'oublie presque qu'Antoine n'était pas à la danse même s'il a dit *Ça se pourrait*. Il l'a dit ! IL L'A DIT !

– Y a des choses que tu aimerais me raconter, ma belle Léa ?

– Tout va bien, Lucienne. Rien de grave. Rien que des histoires de girouettes qui ne respectent pas leur parole.

Je sens qu'une larme va couler sur ma joue. Et que ses amies risquent de la suivre pour former un déluge. Je n'en dis pas plus. Je me sauve dans ma chambre, la bouche pleine de muffin. Je dois avoir l'air intelligente – intelligent ? Non, intelligente !

Après m'être mouchée, j'ouvre mon carnet. Il faut que j'organise ma vie. Ça urge ! Je repasse les points de ma A-Liste à la L-O-U-P-E :

Premier point. Excellent. Génial. Je pourrais reprendre le thème à Noël mais Antoine risque de penser que je n'ai aucune imagination et Aglaé va me tuer. Rejeté.

Deuxième point. Là, j'ai été faible. Compte tenu de ma lenteur à trouver une répartie géniale au bon moment, j'aurais dû prévoir la veille une réplique futée à lancer. Une prévision cool, qui dévoile mes sentiments sans que j'aie l'air désespéré – désespérée ? Sauf que j'aurais pu l'oublier dans l'énervement et BAFOUILLER en rougissant. Stratégie qui a du potentiel mais qui est risquée, compte tenu de mon PENCHANT naturel à figer au mauvais moment. **À méditer.**

Troisième point. J'ai fait la proposition cinéma, mais j'aurais dû regarder les films à l'affiche avant et planifier MA réaction. Même si j'ai l'air d'avoir échoué, le cinéma, c'est gagnant. *Harry Potter* sortira jeudi prochain. Un film d'amour (Ben quoi ? HARRY est amoureux de Ginny, non ?), c'est bon. TOUT le monde veut voir *Harry Potter*. Même les gars, j'en suis certaine. Je pourrais proposer d'y aller jeudi soir à 22 h. Une sortie de nuit. Ce sera super. Et trop romantique.

Quatrième point. J'avais noté cette idée de génie et je n'ai pas suivi mon plan. Ce n'est pas très fort. J'ai posé la question à tout le monde. *Qui vient à la danse ?* Pas à A directement. Je l'ai regardé avec intensité. Il m'a répondu *Ça se pourrait*. Donc, ça a fonctionné un peu. Mais je vois ce que ça a donné. Il faut que je sois plus directe, moins timidE, plus sûre de moi. Il faut que je change du tout au tout en quarante-huit heures. Je crois que c'est possible avec un peu de bonne volonté et beaucoup de concentration.

Je dépose mon stylo dont l'encre rose est toujours aussi chou. J'ai dessiné trop de SPIRALES, ça ne m'inspire rien du tout. Comme les spirales, je tourne en ROND.

En levant les yeux sur le visage d'Edward Cullen, il m'apparaît évident qu'il faut que j'organise une soirée au cinéma pour toute la *gang*. C'est ce qu'il faut faire. Et là, pas d'excuses nulles, Léa. Tu fais tes invitations lundi midi. Et jeudi soir, tu t'organises pour t'asseoir aux côtés d'Antoine. Si je sais compter, ça fait deux points sur ma A-Liste. Je me sens légère et ça n'a rien à voir avec la course.

Avec une règle – parce que ma A-Liste doit être propre –, je rature le quatrième point. J'en rajoute deux. Je m'efforce de bien écrire. Je pense très très fort à chaque mot que j'écris comme pour leur jeter un Sort. Un bon sort, là.

Pauvre Sabine. (Pourquoi je pense à elle tout à coup ?) Il faut que je lui envoie un courriel pour la supporter moralement. Ouais, j'ai décidé de me mêler de mes affaires. Mais supporter une COPINE en détresse, ce n'est pas se mêler des affaires des autres.

Moi ? Ça va bien. Ça va toujours bien quand on prend sa vie en main !

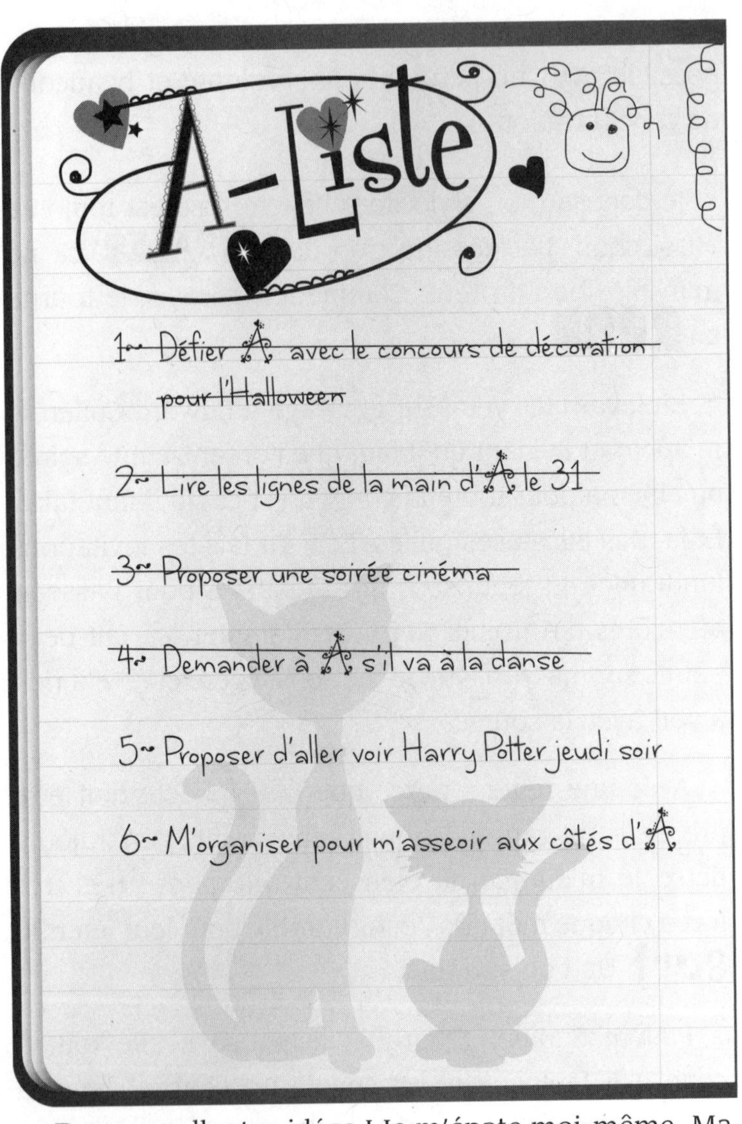

Deux excellentes idées ! Je m'épate moi-même. Ma vie va prendre un nouveau départ. On va peut-être partager un POP-CORN et nos mains vont se toucher par accident. On sera un peu intimidés mais dans le noir ça ne se voit pas, quelqu'un qui rougit. **OhMonDieu !** Je suis trop brillante.

La sonnerie du téléphone crève ma **BULLE** et Lucienne me demande de répondre. On ne peut jamais avoir la paix dans cette maison !

Dans l'autobus, Lily ne dort pas comme tous les lundis matin. Elle me demande ce que je vais dire à Antoine ce matin. Comme je suis trop timide pour lui adresser une phrase de plus de cinq mots, ce sera vite fait ! Je veux bien prendre ma vie en main, mais un petit MORCEAU à la fois...

Il ne restait que du pâté végétarien lorsque je me suis présentée à la café pour prendre mon REPAS. Je me dirige vers NOTRE table d'un pas décidé. Antoine n'est pas là. Je ne vois que son absence.

Je vois aussi que Jérémie et Sabine ne sont pas assis côte à côte. **ILS BOUDENT !!! Ouate de phoque !** Quel beau début de semaine. Lorsqu'on m'a donné le plat au quinoa, j'aurais dû comprendre que c'était un signe. Jérémie boude ? Pour quelle raison ? C'est lui qui s'est conduit comme un SAUVAGE. Sabine ? Comment fait-elle pour rester assise à la même table que lui ? Il est trop... tout !

– Salut, Léa. Passé un beau week-end ?

C'est Martin qui me dit ça. Il n'a pas d'air. Ni l'air insolent, ni l'air COQUIN. Pas d'air.

– Superbe. Et toi ? T'étais pas à la danse ? Je pensais que tu venais avec Antoine. Il est où, Antoine ?

Une vraie détective. Je suis *foule* douée. Mais c'est vrai que je veux savoir pourquoi il n'était pas là.

– Antoine était malade et je n'avais personne avec qui venir. Guillaume était déjà parti. J'ai manqué quelque chose ?

WOW. Antoine, malade. Ne rougis pas, Léa. Ce n'est pas le temps.

– Léa a dansé avec Benjamin. Un secondaire quatre, tu sauras. Deux robots. C'était pas mal *hot*. On a ri.

C'est Lily qui raconte la soirée. Elle babille nerveusement en étourdissant son quinoa avec sa FOURCHETTE tout en jetant un coup d'œil en direction de Sabine. J'ignore comment elle peut faire tout ça en même temps !

– On a dansé avec Guillaume aussi. Une chance qu'il était là, LUI. Il a sauvé l'honneur des *Verts*, LUI.

MERCI LILY, pour cette précision essentielle. Jérémie doit se sentir visé. Bien fait pour lui ! Je regarde Guillaume qui sourit, fier de ses talents de danseur.

– Qu'est-ce qu'il a, Antoine ?

Je demande ça d'un air très détaché. Comme si je voulais faire la conversation et que ça ne m'intéresse pas tant que ça, mais un peu quand même.

– Une infection de la gorge. STEPTACROQUE, quelque chose comme ça. Il boit du jus et mange de la crème glacée depuis vendredi. Interdit de venir à l'école avant demain matin. Le chanceux.

– Léa, viens-tu à la bibli ? Faudrait faire notre recherche sur la forêt amazonienne. Elle se fera pas toute seule. Léa, vieeens ! Je ne veux pas être à la dernière minute, comme d'habitude !

Je me lève et j'attrape mon cabaret. Ma tête est remplie de SPIRALES roses. Je suis tellement soulagée. Guillaume me fixe étrangement. On dirait qu'il lit dans mes pensées. Je lui souris en pensant à ma A-Liste.

– **LÉAAA ! VIEEENS !!!!!!!**

En criant comme une perdue, Lily a alerté Geoffrion qui se matérialise comme par magie à ses côtés. Elle agite un billet blanc sous les yeux incrédules de ma *BFF*.

– Je t'avais avertie, jeune fille ! Tu feras signer ça par ta mère. Compte-toi chanceuse que je sois de bonne humeur.

J'entends les autres POUFFER de rire dans notre dos. Si j'éclate de rire, je recevrai un billet blanc moi aussi ? Pour quelle raison ? Moi, je ne sais pas, mais Geoffrion, elle, elle a visiblement fait provision de bonnes raisons. (Je délire peut-être un peu, mais je me sens intense...)

Il faut que j'apprenne des mots de vocabulaire parce que, demain, il y aura une dictée pendant le cours de français. J'ai trop de difficulté à me concentrer. Lucienne me fait épeler et je répète trois fois les mêmes erreurs. Elle fronce les SOURCILS, elle me trouve NULLE, je le sens bien. Je sais. Je devrais étudier toute seule mais je déteste être seule lorsque j'étudie et ça va vraiment plus vite quand quelqu'un nous fait répéter. Surtout quand on connaît les mots, mais j'ai une excuse valable, ce soir. Ma vie me distrait.

Jour du pâté CHINOIS. Retour d'Antoine après une longue maladie. Nous sommes tous autour de NOTRE table. Antoine me regarde d'un air énigmatique. Je ne sais pas à quoi il pense. J'aimerais le savoir, mais il y a autre chose.

Martin, le *Vert* en chef, a récolté un billet rouge. Le prof de géo exagère sur la couleur du billet, je crois. Ce matin, il a présenté un documentaire somnifère sur la forêt AMAZONIENNE. Je sais, Martin aurait pu se contenter de dormir comme tout le monde. Dans notre classe, PVP a ronflé (ou fait semblant de ; il essaie peut-être de ne plus avoir l'air d'un PVP. En tout cas, moi, j'essaierais à sa place.) pendant ce pétillant documentaire. Est-ce que PVP a récolté un billet ? Non. (Est-ce que c'est ce qu'il cherchait ? Pour améliorer son image, je veux dire. En tout cas, s'il essayait de changer son image tellement parfaite, c'est *foule* raté.) Au lieu de DORMIR, Martin s'est fabriqué une sorte de fronde. Et il l'a testée sur le prof. Mauvaise idée. Il a lancé son pousse-mines qui est passé à quelques centimètres de la tête du prof. Le POUSSE-MINES s'est planté dans l'écran. Personne n'a ri. Martin devrait faire comme PVP. Tenter une transformation mais dans l'autre direction. Devenir un peu *nerd*. Pas trop. Juste un peu.

Le prof, qui porte aujourd'hui une affreuse CRAVATE couverte de fougères et autres végétaux – en l'honneur de l'Amazonie je présume – n'a rien dit. (Il les achète où, ces cravates ?! Au Biodôme ?) Pas de sermon, ce n'est pas son genre. Il a ouvert son porte-documents. Il en a sorti un billet rouge, y a écrit quelques mots et l'a remis à Martin. Sans un mot, mais en le regardant droit dans les yeux. Il a éteint le projecteur, a ramassé ses affaires et est sorti de la classe. Antoine a dit que le silence qui régnait dans la classe faisait peur. Le reste de la période, les *Verts* ont été confiés aux bons soins de Brisebois. Pourquoi avoir puni toute la classe en plus ? Les adultes sont trop difficiles à suivre...

Martin a fait celui que ça ne dérange pas. Mais comme c'est son troisième BILLET rouge depuis le début de l'année, il héritera bientôt d'une réflexion écrite sur son comportement inacceptable, et d'une retenue. Sous l'œil averti de Brisebois en prime.

Comment je peux proposer la sortie cinéma ce midi après cette tragédie ? Tout le monde a l'air catastrophé et le pâté CHINOIS n'arrive pas à chasser l'immense nuage noir qui plane au-dessus de NOTRE table. Ça ira à demain midi.

Nous sommes aux toilettes. Pour une fois, Lily et moi, nous sommes SEULES. Pas d'espionne pour nous casser les pieds. Ça ne durera pas.

– Lily, tu ferais quoi, toi, si ton chum avait dansé avec TOUTES (j'exagère un peu, mais c'est pour que Lily comprenne bien mon point) les filles de l'école, sauf avec toi ?

– Je sais pas trop. Non. C'est pas vrai, JE SAIS. On dirait qu'il ne veut pas sortir avec UNE SEULE fille. Je le laisserais. Évident, ma chou. Trop évident même.

– Je devrais peut-être lui en parler. À Sabine, je veux dire. Regarde-la. Elle a de la peine. (Je CHUCHOTE presque parce que j'hésite vraiment à dire ce que je pense.) Je veux pas lui dire quoi faire. Mais franchement, elle a l'air trop triste.

– TOI ? Tu vas te mêler des affaires de Sabine ? conclut Lily en me faisant sa face de voyante extralucide. Tu vas...

– Allô les filles ! Je savais que je vous trouverais ici ! chantonne Sabine tout en se DANDINANT presque naturellement.

OhMonDieu ! Qu'est-ce qu'on fait ? Est-ce qu'on a l'air louche ? Est-ce qu'elle a deviné qu'on parlait d'elle ? Lily me fait des signes. J'y vais ? J'y vais pas ? J'ai l'impression d'être au bord d'une piscine pas chauffée, hésitant à me lancer dans l'eau trop glacée. *GO*, LÉA, *GO* !

– Sabine ! (Je sais que j'ai crié plus fort que nécessaire, ça s'entend ces choses là.) Comment va ? (Je ne dois pas avoir l'air louche du tout.)

– OK, répond Sabine, moins sûre d'elle qu'il y a trente-deux secondes.

– Sabine, comment as-tu trouvé la danse vendredi ? Je veux dire... Jérémie...

ZUT ! Je devrais aller droit au but mieux que ça.

– Pas si pire..., balbutie Sabine, de moins en moins sûre d'elle.

– T'as pas trouvé ça bizarre qu'il danse avec plein de filles sauf toi ? lance Lily, découragée par la naïveté de Sabine.

– Pas trop..., répond celle-ci, sur le point de pleurer une autre fois.

Est-ce qu'on est allées trop loin ? Zut ! Zut ! Et re-zut ! Je le savais qu'on aurait dû se mêler de nos affaires. Je le savais donc.

– Mesdemoiselles, sortez. Ce n'est pas un salon étudiant ici, crie Geoffrion en ouvrant la porte.

Pour la première fois depuis le début de l'année, je suis contente que Geoffrion nous force à sortir d'ici.

Ce soir, j'ai envoyé un courriel à Antoine. C'est plus facile de lui écrire que de lui parler en personne. Je ne rougis pas quand j'écris un courriel. Faux, ça m'arrive, mais comme je suis seule devant mon ordi, personne ne me voit, donc personne ne le sait. Jamais je ne vais installer une webcam sur mon ordi. En tout cas, si je le fais, ce sera une caméra NOIR ET BLANC. Jamais en couleur.

À : Antoine17@hotmail.ca
De : Lea.sec2@gmail.com
Objet : Es-tu OK ?

T'as qd même eu un jour de congé. Mais t'as manqué la danse. C'est plate. L :-)

À : Lea.sec2@gmail.com
De : Antoine17@hotmail.ca
Objet : Re : Es-tu OK ?

OK. J'étais vraiment malade. Ma mère n'a jamais voulu que j'aille à la danse.

DSL. A ;-(

OhMonDieu ! Il fait un BONHOMME baboune pour dire qu'il est désolé. Il s'est souvenu de sa promesse même si ça n'en était pas une vraie. Léa, trouve quelque chose de brillant à écrire. C'est la chance de ta viiie !

Bon, qu'est-ce que je peux lui dire ? Vite, vite. Une idée. ZUTEEEEEEE !

À : Antoine17@hotmail.ca
De : Lea.sec2@gmail.com
Objet : Nooon !

T'auras pas mal à la gorge toute ta vie. Tu viendras à la danse du printemps.

L :-)

C'est quand même bon, je trouve. **Brillant et inspiré.**

À : Lea.sec2@gmail.com
De : Antoine17@hotmail.ca
Objet : Re : Nooon !

Ouais.

Si j'ai la permission.

Tchaw…

À : Antoine17@hotmail.ca
De : Lea.sec2@gmail.com
Objet : Cool !

Pareil pour moi. À+

L :-)

Je ne sais pas si j'arriverai à dormir. Pour me calmer un peu, j'ai envoyé un courriel à ma mère qui ne m'a pas encore répondu à propos de Ouija. Ouais... Elle a beaucoup de travail. Elle ne magasine même pas. Expliquez-moi comment on peut vivre à New York sans magasiner un peu. Ma mère est une MUTANTE. J'ai été adoptée, c'est certain. Ma vie repose sur un mensonge.

Maintenant, c'est Sabine qui m'empêche de dormir. Je ne voulais pas me mêler de sa vie. Est-ce qu'on avait le droit de lui dire que Jérémie s'est vraiment mal conduit à la danse ? Elle ne le savait pas ? Même notre cyber-astrologue est *foule* vague à ce propos-là. Où sont les gens quand on a VRAIMENT besoin d'eux !

17 NOVEMBRE

C'est un signe : j'ai eu des boulettes GRECQUES, ce midi. Ça va me porter chance. Tout le monde est déjà installé à NOTRE table. Martin a l'air remis de ses émotions. Sabine parle du bout des LÈVRES à Jérémie, l'ex-gars-plus-que-parfait, qui hoche la tête en rougissant. (Il rougit. Il se sent coupable ? Il s'améliore.) Lily me suit en chantonnant.

Je m'assois en face d'Antoine. Il me sourit. Ne me souris pas, je vais rougir et je serai incapable de dire quoi que ce soit et mon plan va tomber à l'EAU. Sois forte, Léa.

– Écoutez, *Harry Potter* sort jeudi soir. Ça serait vraiment cool si on y allait tous ensemble. (Je regarde Antoine en souriant.) Qui vient ?

Tout le monde parle en même temps. Je pense que les filles veulent venir. Mais en ce qui concerne les gars, j'ai un drôle de pressentiment. Pas drôle dans le sens de COMIQUE. Drôle dans le sens d'étrange.

– Vous connaissez mon adresse de courriel. Répondez-moi ce soir. On s'organisera pour le transport.

– C'est pas mal tard. Ma mère ne voudra jamais. Surtout après le billet blanc de Geoffrion.

C'est vrai que ce serait *foule* plate que Lily manque LE film de l'année à cause d'un problème d'adultite aiguë au carré. Ce pourrait être vendredi à 18 h. Je sais, c'est pas l'heure idéale. Mais bon. Faut s'adapter. (Notez que j'ai beaucoup maturé depuis HALLOWEEN.)

– J'attends les courriels de tout le monde ce soir.

Léa, tu t'améliores. Je te félicite.

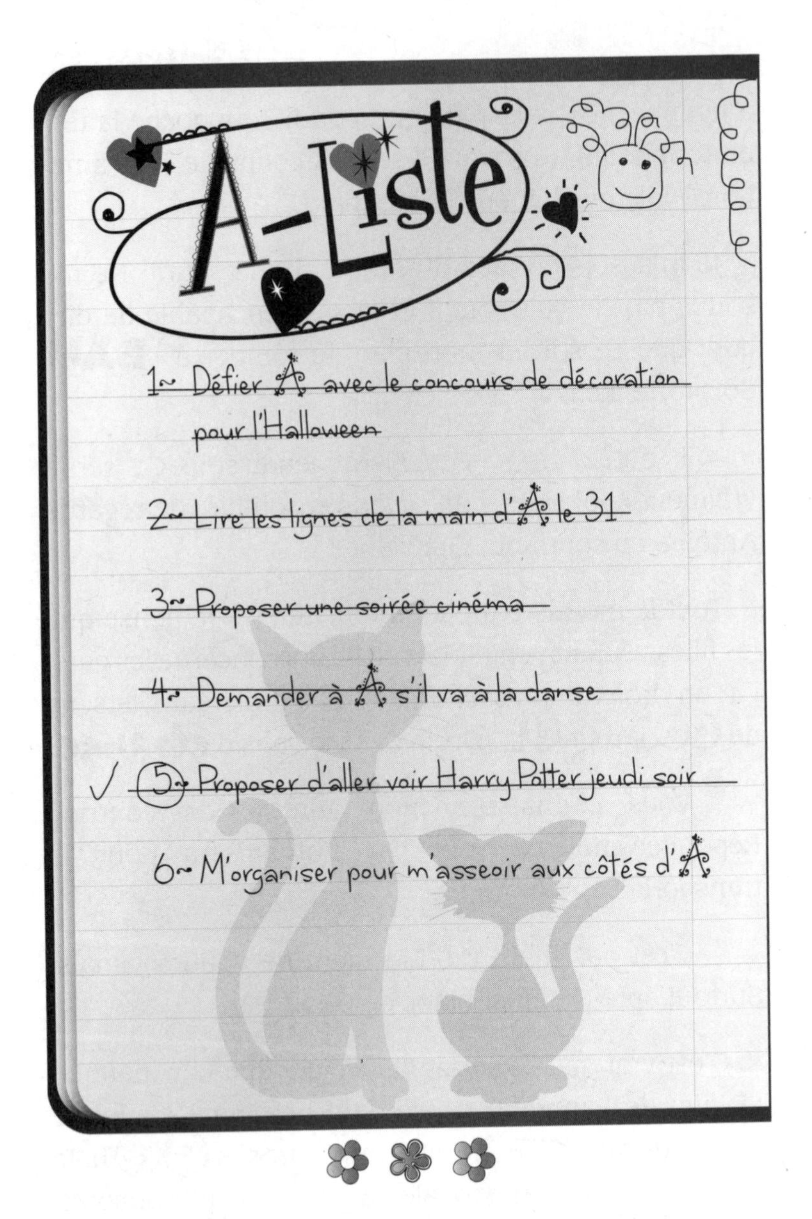

J'ai lu mes courriels pendant une bonne partie de la soirée. Je suis la seule à pouvoir sortir jeudi soir à 22 h. Bon point pour moi. Si mon père est encore en voyage d'affaires, Lucienne viendra voir le FILM en même temps que nous. Pas **avec** nous, nuance. Elle s'installera en avant pour ne pas nous chaperonner. C'est d'elle cette expression sortie de **nulle part**. Moi, je ne connais que le petit Chaperon rouge et comme Lucienne n'a pas de manteau à capuchon rouge, je ne vois pas le rapport. Je vis avec des gens qui parlent des dialectes incompréhensibles. Je suis la seule à m'exprimer en français dans ma famille. Ne me demandez surtout pas comment on arrive **parfois** à se comprendre.

Donc, on ira au cinéma vendredi, à 18 h. Même Antoine. Il n'a pas dit *Ça se pourrait*. Il a écrit *J'y serai. Tchaw.* ☺

En éteignant ma lampe de chevet, je remercie Edward pour l'INSPIRATION. Aucune réaction.

Nous sommes tous dans le hall du cinéma. Toute la *gang* est là. Antoine est arrivé avec Guillaume. Ils m'ont SOURI. J'ai de bons amis. Aglaé est là. Aglaé ?!? Chloé. Garibelle. Marie-Pier. Jeanne-Marie. Angela. Olivier. Sabine et Jérémie, se tenant la main EN PUBLIC ! (Oui. Elle est avec LUI et tout semble OK ! J'y comprends plus rien...)

Quand toute l'armée a eu son billet en main, nous nous sommes dirigés en courant vers la salle. Essayez de caser dix-sept personnes dans le même coin quand une foule se précipite sur les sièges situés à l'arrière de la salle parce qu'on ne veut surtout pas avoir l'air de *nerds* finis assis en avant, le nez collé sur l'écran.

J'ai TENTÉ de m'asseoir aux côtés d'Antoine. Ça se bousculait trop dans son coin et je suis plutôt malhabile quand vient le temps de bousculer. Même Aglaé essayait de se faufiler. **Ouate de phoque !** elle ne nous parle jamais à l'école. Antoine s'est retrouvé le premier au bord de sa rangée, Guillaume à côté de lui. J'étais assise de l'autre côté de l'allée, à côté de Lily et de Martin. Une allée me séparait de mon ex-futur-bien-aimé. Mon plan si bien rodé a un peu échoué. Bon, je peux le voir quand même mais impossible de partager du 

à moins de le lancer par-dessus l'allée. Avec mon visou légendaire, je n'essaie même pas. Lui, il pourrait. Il est doué dans tous les sports.

❀ ❀ ❀

Le film était trop bon. Pas comme le livre, mais trop bon. Quand Harry a embrassé Ginny, c'était tellement romantique (les gars – **Jérémie**, Guillaume ET Antoine aussi – ont applaudi et hurlé. Ils manquent de **maturité**, c'est épeurant. À l'évidence, nous ne sommes pas sur la même planète. Moi, je rêve qu'un **certain gars** m'embrasse comme Harry a embrassé Ginny. Je souligne mentalement le verbe rêve dans la dernière phrase.

Le week-end a bien débuté. **Cote prévue : 10/10.** Même si les gars nous ont humiliées en se comportant comme si le meilleur film de l'année n'était qu'un vulgaire match de **HOCKEY**. Il faut vraiment qu'ils maturent. Ça urge.

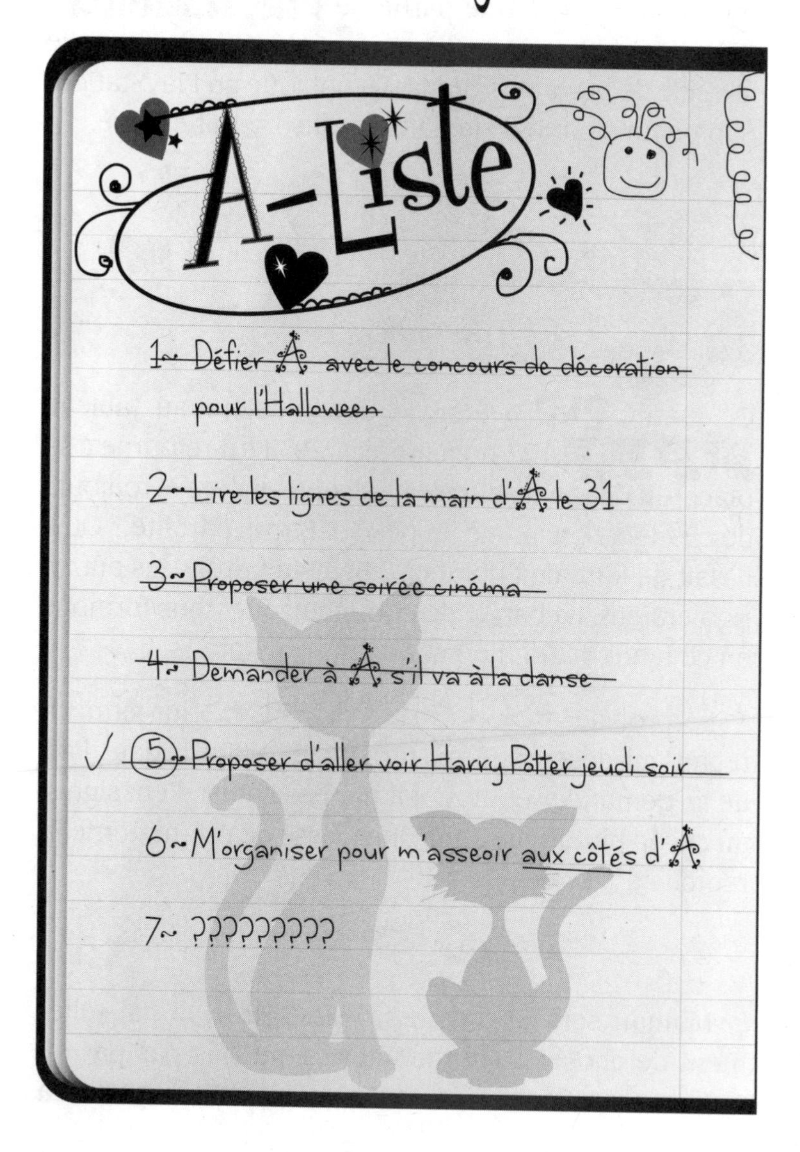

20 NOVEMBRE

Que s'est-il passé entre Sabine et Jérémie pour que notre girafe ait l'air aussi heureuse au cinéma (oui, oui, heureuse !) ? Une partie de **PlayStation 3** ! (Je sais, c'est trop nul.) Sabine a invité Jérémie chez elle la veille de la sortie cinéma. Ils ont joué au PlayStation. Sabine lui a parlé de la danse et il se serait excusé.

22 NOVEMBRE

Ce matin, **PVP** a écrit la date du jour au tableau NOIR : 22 novembre 2020. Il est retourné à sa place, en ricanant sottement. Il tente encore et toujours de changer son image un peu (!!!!) trop parfaite ? Ou il essait de faire de l'humour ? Si c'était drôle, les autres rigoleraient. La bande de comateux que nous formons en ce lundi matin n'émet aucun son. Raté !

Le prof de SCIENCES lui jette un regard mi-découragé, mi-furieux. Il corrige la date, l'air de se demander pourquoi il n'a pas choisi d'enseigner au cégep plutôt que dans une classe de pré-maternelle remplie d'attardés.

Maman sera là mercredi soir. ENFIN !!! J'ai tellement de choses à lui raconter. Je ne sais pas par où commencer. Pourquoi ne m'a-t-elle jamais répondu à propos du Ouija ? Il faut que je sache s'il lui est arrivé des trucs pas normaux avec ce jeu. Elle a peut-être des choses trop graves à raconter, du genre qui ne se racontent pas par courriel.

Antoine. Je lui dis quoi au sujet d'Antoine ? (Y a-t-il tant de choses à dire, finalement ?) Bon. Je ne sais pas ce que je vais lui dire mais je sais ce qu'elle va me répondre : Fonce, prends ta vie en main ! Fais les premiers PAS. Aborde franchement la question avec lui.

Puisque je connais les réponses, j'économiserai mon énergie mentale et je ne formulerai pas les questions qui vont avec ces réponses-là. Je lui parlerai de sa vie à New York. Pas mal plus intéressant.

– Léa... LÉA ! C'est pendant la première étape qu'on a étudié les planètes. Reviens sur Terre ! On est à la deuxième étape, là !

OUPS. Pas de ma faute. Si le cours était plus intéressant, et si on ne parlait pas des solutés pour la troisième année consécutive, je ne chercherais pas à m'évader sur une autre PLANÈTE.

J'ouvre mon cahier d'exercices. Je sors mon CRAYON Hello Kitty. Je suis prête. Tiens, qui a enlevé l'affiche *Le français, je le parle par cœur* ? Il n'y a jamais rien qui dure. Tout change trop vite. Même les affiches qui n'ont rien demandé. Non. Pas possible. Pas l'affiche de *La gang allumée*. *Pleeeeeeeeease !!!* Par pitié. Les gars sont trop laids sur cette affiche-là.

– **LÉAAA !**

– La direction vous demande de rappeler à vos parents que la première rencontre parents-enseignants se tiendra jeudi soir. De 17 h 30 à 20 h 30.

Je me fais huer. Qui aime se faire rappeler que les parents sont invités à discuter de nos performances SCOLAIRES et de notre comportement exemplaire avec les profs ? Je retourne à ma place après avoir fait l'air de celle qui n'y peut rien. Je jette un coup d'œil à Lily. Elle est dans la LUNE. C'est un endroit très fréquenté, ce matin. Est-ce qu'il pleut autant qu'ici, sur la Lune ? Je ne sais pas, mais la culture des framboises suédoises y est florissante. Je crois.

Pourquoi notre prof de géo porte-t-il un nœud papillon, ce matin ? Ses célèbres cravates thématiques se sont-elles subitement démodées ? Quoiqu'elles l'ont toujours été, mais bon…

– Léa, tu peux me dire quand aura lieu le prochain test ?

– Euh… Je… La semaine prochaine ! Mmmmm, vendredi prochain ! (Merci à PVP qui m'a soufflé la réponse. Des fois, il agit normalement. Je crois même qu'un jour, il pourrait avoir UN PEU d'allure. Dommage que sa MUTATION se fasse si *len-te-ment*…)

– Bien. Je ne sais pas pourquoi mais j'avais l'impression que ce que je disais ne t'intéressait pas vraiment.

J'ai eu trop envie de répliquer que ce n'était pas une impression. La phrase pétillait sur le bord de mes lèvres, prête à éclater comme un grain de maïs chauffé dans un four à micro-ondes. Au lieu de ça, j'ai souri en serrant les lèvres. En fait, je devais plutôt grimacer parce que sourire en pinçant les lèvres, c'est à peu près impossible. Qu'il commence son cours plate qu'on en finisse. Pendant qu'il fait une énième blague nulle, je dessine des spirales et des coeurs dans la marge de mon cahier de notes. Est-ce que j'ai le droit de dessiner, Passe-Montagne[12] ?

Il est 21 h 30. Je devrais relire mes notes de mathématique. Je suis fatiguée et quand je suis fatiguée, mon cerveau est comme une éponge remplie d'eau. Plus rien ne peut entrer. Alors, j'ouvre l'ORDI et j'écris un message à Antoine. Nous sommes vraiment moins timides devant un écran que face à face. C'est comme ça, je ne sais pas pourquoi et franchement, je ne veux pas comprendre.

---

12. Personnage de l'émission *Passe-Partout* qui portait un énorme papillon en guise de nœud papillon. Il me fait un peu penser à mon papa, Passe-Montagne.

À : Antoine17@hotmail.ca
De : Lea.sec2@gmail.com
Objet : Ça va ?

Comment t'as aimé le film vendredi ?

L :-)

À : Lea.sec2@gmail.com
De : Antoine17@hotmail.ca
Objet : Re : Ça va ?

Correct. *American Gangster* est pas mal mieux. + d'action. Un vrai film.

:-0

À : Antoine17@hotmail.ca
De : Lea.sec2@gmail.com
Objet : LOL

Harry Potter, c'est un film d'aventure. Je devrais louer *American Gangster* ?

L :-)

À : Lea.sec2@gmail.com
De : Antoine17@hotmail.ca
Objet : Re : LOL

Je sais pas trop. Si tu trippes sur *Harry Potter*…

À : Antoine17@hotmail.ca
De : Lea.sec2@gmail.com
Objet : HP

J'aime *Mission Cléopâtre*, *Twilight*, *Da Vinci Code*, *13 ans bientôt 30* :-) et *The Debaters*. Peut-être que je peux aimer AG aussi. Tu penses que je vais avoir peur ? :-o

L :-)

À : Lea.sec2@gmail.com
De : Antoine17@hotmail.ca
Objet : Re : HP

Genre. +++ violent 8-) 8-) 8-)

Tchaw

À : Antoine17@hotmail.ca
De : Lea.sec2@gmail.com
Objet : ...

OK, si tu le dis. Il est tard. Bye

:-*

Je ne rêve pas ! J'ai envoyé un bonhomme sourire qui fait un BISOU... Va donc te coucher, Léa. Tes doigts délirent.

25 NOVEMBRE

Je dormais lorsque maman est arrivée hier soir. Ce matin, elle m'a fait un gros câlin **avant** de boire son PREMIER café. Je lui ai manqué, c'est évident. On a mangé des scones que Lucienne a faits pour l'occasion. Des SCONES un jeudi matin, c'est vraiment spécial.

– C'est la rencontre parents-professeurs, ce soir. Tu vas y aller ? Dis oui !

– Tu es certaine ? Je pense que je vais perdre mon temps. J'aimerais mieux passer mon congé avec vous. Tes profs, ils disent toujours la même chose : disciplinée, mature, à son affaire et rêveuse à la fois, organisée, po...

– Maman, je veux savoir ce que les profs pensent de moi. C'est important. Dis oui, dis oui !!

D'après moi, mon titulaire va lui dire que je suis très DISTRAITE. Le prof de géo aussi. Quoique lui, il l'est tellement que je doute qu'il se rende compte de quoi que ce soit. La prof d'anglais est zen mais elle sait que j'ai dessiné des citrouilles dans mon agenda. Pourquoi j'insiste autant alors ? Ouais... BIZARRE...

– C'est plus important que de passer une soirée ensemble ?

– J'ai congé demain. On aura toute la journée pour nous. Dis ouiiiiiiiiiii !!!

Je me suis trop avancée. Je ne peux pas reculer. (Fonce, Léa. Prends ta vie en main !) J'ai réussi. Elle va y aller. HOURRA !

Je suis revenue de l'école. J'ai congé demain. Je lance mon sac à dos dans un coin de ma chambre. Je retourne dans la cuisine, il y a certainement une SUPER collation qui m'attend.

– Léa, ton titulaire m'a téléphoné. Il tient à ce que je sois à la réunion, ce soir. Sais-tu pourquoi ?

Quoi ? Monsieur *Sourire* veut voir ma mère ? OhMonDieu ! Il veut parler de ma distraction ? Je sais, je suis souvent dans la LUNE mais bon. Il n'aime pas la manière dont je lis les communiqués. C'est ça ! Non, c'est Geoffrion. Elle a dû bavasser. Lui dire que je passais trop de temps aux toilettes. Ou que ma jupe est trop courte ? Mes SOULIERS ne font pas l'affaire ? Je ne sais pas. Angoisse totale. Pourquoi j'ai tant insisté pour que ma mère aille à cette réunion plus-que-nulle ? Quel élève de secondaire deux insiste pour que ses parents aillent perdre leur temps à l'école ? À part moi, je ne vois personne. C'est fini. Je ne prends plus ma vie en MAIN. Je fais toujours des gaffes. Il faut lâcher prise, comme le dit Lucienne. Désormais, je vais lâcher prise, comme ma Lulu. Me laisser porter par la vie, comme Lily. Il va me falloir des framboises suédoises ! Beaucoup de framboises suédoises.

– Léa ?

– Heu... Aucune idée. Vraiment, aucune espèce d'idée. (Je gagne du temps.)

– Pas grave. Je verrai bien ce qu'il me veut. Tu vas faire quoi, ce soir ?

Je ne sais pas. Me demander ce que mon titulaire a de si important à dire à ma mère vient en haut de la liste. Niaiser avec Lily, à la deuxième position.

– Lily va peut-être venir ici. Ou je vais aller chez elle. On a des choses à faire.

– Je constate que tu prends ta vie en main. C'est cool.

Ma mère – ma mamounette à moi – a prononcé le mot cool ? Madame-je-parle-comme-le-dictionnaire-Lafrousse ? New York a changé ma mère. Je ne comprends plus rien. Je vais chez Lily. J'y serai plus en sécurité qu'ici, auprès d'une mère mutante. Même avec Moucheronne dans les parages. Excusez-moi, je divague.

La couette de Lily est rose bonbon. Ça vous étonne ? Nous avons verrouillé la porte de sa chambre. Lily a étalé des framboises suédoises sur son lit. Son CHAT les renifle d'un air dégoûté.

Sur le mur, Lily a collé un poster de Jacob. **Jacob !** Elle a joint les rangs des Jacob ? Note pour un EXTRA-TERRESTRE qui vient de débarquer sur la Terre. Les fans du film *Twilight* se divisent en deux clans : les Edward et les Jacob. Je suis une Edward. D'après ce que je vois, elle est devenue une Jacob. Elle me déçoit un peu (je BLAGUE).

– Lily, t'es devenue une Jacob ? J'arrive pas à le croire.

– Ma chou, il est trop beau. Il sourit bien. Il est trop gentil avec Bella. En plus, ses cheveux lui font vraiment bien.

Ses cheveux lui font bien ? Mais qu'est-ce qu'elle dit là ?

– Lily, mange une framboise, ça va te rafraîchir les idées.

Je saisis son TOUTOU Barney et je lui lance dessus. Je viens de déclencher la bataille de toutous du siècle. Bientôt, il y en a partout. Une super soirée. Je ne pense presque plus à ce que mon titulaire avait de si important à dire à ma mère devenue cool comme par MAGIE.

Je suis partie subitement lorsque Ginette est revenue de l'école, agitant le BULLETIN de Lily comme si c'était le drapeau du Québec le 24 juin. Elle ne m'a pas saluée – même rapidement –, elle était trop en **colère**.

Ma mère a probablement des choses à me dire et je ne devrais pas me mêler des affaires privées de ma *BFF*. Je lui fais notre salut secret. Les deux pouces levés dans les airs puis les deux pouces qui disparaissent et qui réapparaissent. Je sais, faut raffiner nos signes secrets. Je me sauve avant que l'orage éclate.

Maman est déjà revenue. Là, j'ai vraiment CHAUD. Après les FOUDRES de Ginette, qu'est-ce qui va se produire ici ?

– Maman, t'as rencontré mon prof de sciences ?

Ma mère me serre dans ses bras. Méfiance. Qu'est-ce qu'elle va m'annoncer ?

– Je suis si fière de toi.

Je ne **COMPRENDS** plus rien. Qu'est-ce qu'il y a ? Qu'est-ce qu'il a bien pu lui dire ?

– Il m'a raconté ton implication pour l'Halloween. Tu as fait preuve de leadership, de persévérance. Tu as su motiver la classe. Tu démontres de grandes qualités, Léa. Je l'ai toujours su. Tu prends les choses en main, c'est ce que j'ai toujours souhaité pour toi.

– Quoi ? De quoi tu parles, maman ? Tu parles vraiment des chauves-souris qui ont la varicelle ? Il a rien dit d'autre ?

– Oui, j'oubliais. Il a besoin de ton aide.

Pour rendre ses cours moins plates, je suppose. C'est certain. Les solvants et les solutés salés, on en a ras-le–bol (ras-le-bécher, je devrais dire). C'est nul, somnifère et super-archi-nul.

Les planètes, ce n'était pas mieux. À moins de s'appeler Julie Payette[13], et encore. Pas certain qu'elle aimerait ça.

– De mon aide ? C'est quoi le rapport ?

– Léa, ce n'est pas français, cette expression. Soigne ton langage !

AH ! Ma véritable mère est de retour. Elle est redevenue Madame-je-PARLE-comme-le-dictionnaire-Lafrousse. Tout va bien.

– Une nouvelle élève va se joindre à votre classe le 1er décembre. Il compte sur toi pour que son intégration soit réussie. C'est une véritable marque de confiance à ton endroit. Il peut compter sur toi, j'en suis certaine.

Une nouvelle ? Pauvre elle. Arriver en plein milieu de l'année scolaire, c'est trop nul. Bon ! Pourquoi pas ? Je lui dirai la PHOBIE de Brisebois pour les souliers. Celle de Geoffrion pour les cellulaires et les jupes qui ont la longueur convenable pour une fille qui vit au 21e siècle, PAS EN 1950. Pour ce qui est d'Aglaé-la-papesse-de-ce-qui-est-vraiiiment-*in*-dans-la-vie, si elle est futée, elle constatera rapidement ce qu'il y a à constater. OK, je vais l'aider.

– Tu connais son prénom ?

– Marina ! Euh, Marie-Noëlle... Non. Arielle ! Je ne sais plus. Quelque chose dans ce genre-là, en rapport avec les vacances.

---

13. Julie Payette est une astronaute québécoise. Elle a droit d'être dans la lune, elle. C'est un peu mon idole pour cette raison.

Ma mère me découragе (notez qu'elle a utilisé les mots *genre* et *rapport* dans une même phrase. ☹) Incapable de se SOUVENIR d'un prénom. Comment elle fait pour ÉCRIRE ses articles avec rigueur, concision et précision ?

Il faut que j'annonce cette nouvelle à Lily. Elle va certainement vouloir participer à la mission *Intégrons Arielle-la-nouvelle* !

J'ai envoyé au moins treize courriels à Lily. Pas de réponse. Je devrais en envoyer un autre. Treize, je pense que ça porte MALHEUR. Je tente de neutraliser le mauvais sort et j'envoie un quatorzième courriel. C'est bon, elle devrait me répondre bientôt.

Il est 10 h 45. Je me suis levée pas mal tard. La coccinelle tient un papier sur le frigo. Ma mère est partie au journal. Réunion urgente avec Machiavel. Zut !

J'attrape un muffin que j'apporte dans ma chambre. J'allume mon ordi. Lily ne m'a pas encore répondu ? Tout va de travers ce matin.

Ma A-Liste n'a pas changé. Je dessine des bonshommes sourire un peu partout. Je repense aux courriels qu'on s'échange, Antoine et moi. On est vraiment plus à l'aise quand on se cache derrière un ordi.

Je RATURE le troupeau de points d'interrogation que j'ai dessinés au point sept. Je le remplace par ma nouvelle idée SUPER géniale. Brillantissime même.

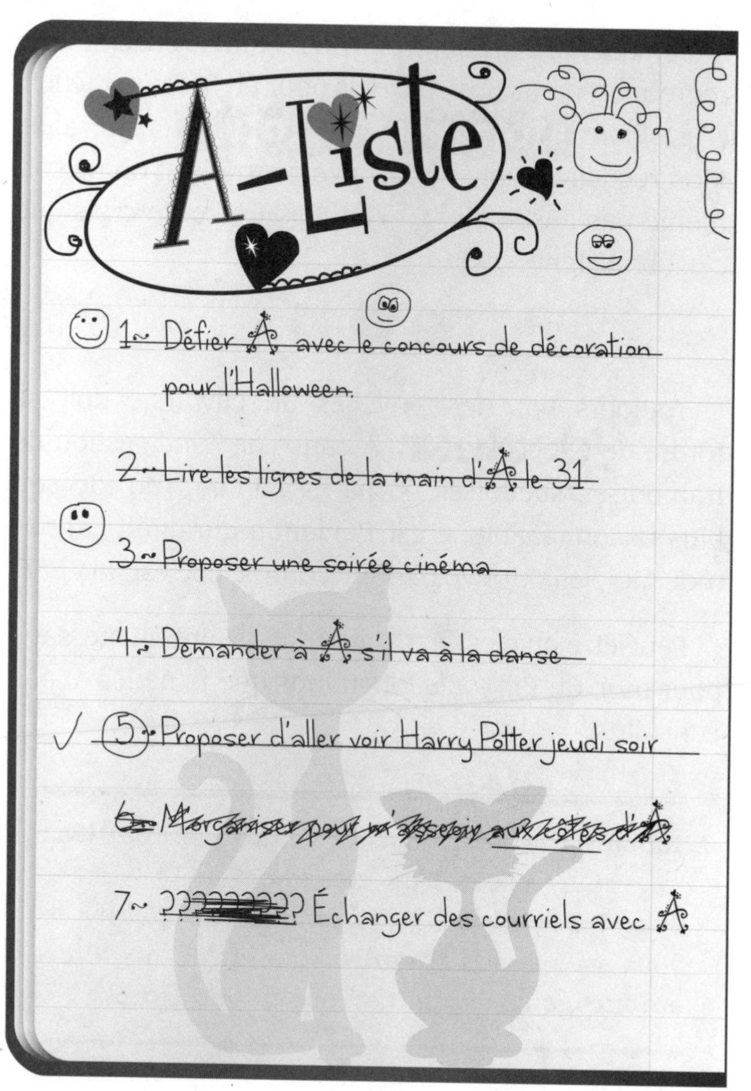

Si le bonhomme sourire qui fait un bisou ne l'a pas effrayé. Peut-être qu'il ne sait pas vraiment ce que ça signifie, un :-*. Les GARS ne sont pas très allumés quand il est question de lire les symboles. Déjà qu'ils ne sont pas très forts pour lire entre les lignes, alors les symboles, pfff !

Lorsque nous célébrerons nos six mois ensemble, je regrouperai tous nos courriels pour en faire un recueil. C'est *foule* ROMANTIQUE, cette idée. Mon recueil compte déjà douze courriels et on ne sort même pas ensemble. Ouf ! Pas treize. Je crois que c'est bon signe.

Toujours pas de nouvelles de Lily. Elle doit se tordre de douleur. À cause de ? Indigestion de framboises suédoises, je parie. Faudrait qu'elle soit plus raisonnâââble. C'est Benjamin qui dirait ça, pas moi. Moi, je la trouve parfaite comme elle est, ma *BFF*.

Peut-être que les ASTRES ont un message pour moi. Ça fait *foule* longtemps que je ne les ai pas consultés.

Amours : Le temps est au beau fixe. **Amitiés :** Un ami a besoin d'un conseil. Que lui direz-vous ? **Finances :** Ne dépensez pas plus que vous ne gagnez. **Famille :** Quelqu'un de votre entourage cache un secret. Ouvrez l'œil.

LÀ, JE NE COMPRENDS RIEN. Le temps est au beau fixe avec Antoine ? C'est sûr que c'est assez fixe. Moi, je veux que ça bouge !!! OhMonDieu ! Faut vraiment que je médite sérieusement à ça. Pour les finances, je ne dépense jamais, alors je fais quoi ? Franchement, quel conseil inutile. Oh. Ma mère cacherait un secret qu'il faut que je découvre. Quel genre de secret ?????? Je pensais que l'astrologue me donnerait un petit indice. On ne peut se fier à personne, c'est trop décevant.

Pourquoi Lily ne donne-t-elle pas signe de vie ? Est-elle vraiment MALADE ? Elle répond toujours à ses courriels. Elle n'est pas allée sur Facebook depuis MILLE ANS. Je ne peux pas passer toute la journée à consulter mes courriels ou son Facebook ou le mien. J'ai une vie maintenant.

Lulu est retournée chez elle. Elle aime son intimité même si elle ADORE vivre chez nous. Peut-être qu'on pourrait l'adopter si jamais ça ne lui tente plus de vivre seule. En attendant, je vais aller aider mon père qui prépare le repas de Thanksgiving. Je sais.

Je suis la seule à célébrer cette fête américaine mais dans ma famille, on cherche toutes les occasions de fêter et lorsqu'il n'y a rien de prévu au Québec ou au Canada, on emprunte leurs fêtes aux autres.

Pendant que mon père prépare la farce pour la DINDE, je dois éplucher les patates sucrées. Pour la purée. Comme les Américains. Mon père prépare un repas traditionnel AMÉRICAIN. Heureusement qu'on n'est que trois, sinon, imaginez la montagne de patates qu'il faudrait éplucher. Et le maïs en épi.

Papa est intrigué par la tarte à la citrouille. Il PARLE à Lulu à plusieurs reprises. Il en fait trop. On ne mangera jamais tout ça. On aura des restes pendant au moins un mois. Jusqu'à Noël. Mais il veut que tout soit **parfait**. Il est drôle, le récepteur du téléphone collé entre son oreille et son épaule, en train de prendre des notes sur le journal d'hier.

Maintenant que la dinde est au four et que les patates cuisent, il relaxe. Moi, j'ai le temps d'aller consulter mes courriels.

LILY, QUE FAIS-TU ? *QUÉ SÉ PASSA ?* (J'essaie de mettre mes cours d'espagnol à profit.) Aucun signe de vie. J'ai écrit à Sabine pour lui demander si elle a eu des **NOUVELLES**. Elle aussi, elle se demande ce qui se passe.

Lily + Silence =

incompatibilité TO-TA-LE !

– Oh ! Vous avez fait une mousseline de pommes de terre douces. C'est si bon.

Ma mère a retrouvé ses vieilles habitudes. Elle est redevenue la JOURNALISTE branchée qui parle comme un dictionnaire. C'est la faute à Machiavel et à sa réunion « urgente ». Il m'a volé ma mère, encore une fois. Je déteste Machiavel. Je déteste le JOURNAL. Et je déteste ma mère quand elle prend ses grands airs d'intello.

– Maman, tu parles comme le dictionnaire Lafrousse. C'est des patates sucrées pilées. C'est des patates sucrées. C'est trop difficile à retenir ?

Mon père ricane dans son coin. Pourrait-il prendre mon parti, des fois ? Non. C'est toujours son amoureuse qui a raison, et moi, j'ai toujours tort. GRRR !

– On dit CE SONT des patates douces, Léa. Pas C'EST. Et c'est *Larousse*, pas Lafrousse. Ce n'est pas si difficile à retenir, pourtant.

Elle sourit en disant ça. Trop drôle. Le CIRQUE est en ville ! Mon père éclate de rire. De mieux en mieux. C'est trop injuste. Ils sont deux contre moi. Je suis fichue. Je vais bouder un peu pour leur apprendre la solidarité parents-enfant. Mais pas question de rater le repas. J'ai travaillé trop fort pour le préparer.

En fin de compte, j'aurais dû manquer le repas. Il était délicieux, c'est pas le problème. On a tous trop mangé et on aura des restes jusqu'à la fin des temps et peut-être même après. Mais ma mère nous a annoncé qu'elle repart à New York. Jusqu'en janvier. **Ouate de phoque !** C'était ça, le secret *foule* caché ? Même pas eu besoin de le chercher.

Elle sera ici pour NOËL, mais quand même. Qui va m'apprendre le bon-parler-français si elle s'en va encore une fois ? Papa ? Ça m'étonnerait car cette nouvelle l'a vraiment irrité. J'ai fini la soirée en relisant *Twilight – Hésitation* pendant que mes parents ne se parlaient pas. Une épidémie d'ADULTITE AIGUË souffle sur la maison ce soir. À moins que « Passe-moi le sucre, Jean-Luc » et « Tiens, Ève » soit le genre de conversation que se tiennent deux amoureux séparés depuis des semaines.

Je vais peut-être devenir une Jacob, finalement. Faudra que je réfléchisse sérieusement à mon allégeance. Jacob a un trop BEAU sourire et il est fiable, lui. Je remets en question mon allégeance pendant la chicane silencieuse de mes parents. Je sais, y a pas de rapport.

Maman part pour NEW YORK – quelle chance elle a tout de même – le 4 décembre en matinée. Ça me laisse un peu de temps pour lui parler de Ouija. Et d'Antoine. Peut-être.

OÙ EST LILY ? Je lui ai envoyé vingt-deux courriels depuis mon réveil (et c'est une approximation conservatrice). Il y a un problème, c'est certain. Elle ne m'a pas répondu. Sabine aussi a tenté de la joindre, sans succès. Sa connexion Internet est en panne. Ou son ordi est **brisé**. Ou encore, Lily est malade. Je DOIS prendre de ses nouvelles. Deux jours complets sans que Lily donne signe de vie, c'est anormal.

Je lui téléphone. Lily répond en chuchotant. Elle est trop mystérieuse. Elle me donne rendez-vous au parc. Je suis encore plus inquiète qu'avant de lui avoir parlé. Tant de **mystère**, ce n'est vraiment pas son style.

– Lily, qu'est-ce qui se passe ? Tu ne réponds plus à tes courriels ? Es-tu malade ?

– Non. C'est ma mère qui est malade. J'ai coulé l'oral en anglais. Et ma note d'éduc est assez *pouiche*. Le billet blanc de Geoffrion n'a pas aidé ma cause. Ma mère a confisqué le modem.

– Quoi ? Elle l'a débranché ? Ce n'est pas si grave. Tu n'as qu'...

– Pas débranché, Léa. T'as pas compris. Elle l'a **caché**. Elle est certaine que j'ai coulé l'oral d'anglais parce que je n'ai pas lu le **LIVRE** et que je n'ai pas lu le livre parce que je perds mon temps sur Internet. Elle l'a super bien caché. Je le sais. Je l'ai cherché hier.

Ginette n'a pas tort sur un **POINT**. Si Lily avait lu son livre, elle n'aurait pas coulé. Mais Internet n'a rien à voir avec sa note en éduc. Elle pensait que le drapeau était orange et elle n'a pas tourné au Y. Elle n'est pas la seule. Pour le billet blanc, Geoffrion a vraiment exagéré. Elle n'a pas digéré que Lily complète sa blague nulle. Pauvre Lily. Victime de l'adultite aiguë de sa mère, de Bilodeau et de Geoffrion.

– Bon, assez parlé de moi. Ça fait du bien de parler à des gens normaux. As-tu demandé à ta mère, pour le Ouija ? Parce que, ÇA, c'est important.

Je lui explique qu'il va falloir que je fasse vite parce que ma mère retourne à New York jusqu'à la fin janvier. Je crois que Lily aimerait bien que sa mère fasse pareil.

– OhMonDieu ! Lily, tu ne sais pas la nouvelle ! J'avais oublié. Je t'ai envoyé des courriels mais comme tu ne les as pas vus, tu ne peux pas savoir… Il y aura une nouvelle fille dans notre classe. Elle arrive lundi. Elle s'appelle Marina ou Arielle. Le prof de sciences veut que je l'aide à s'intégrer. Veux-tu m'aider ? À deux, c'est mieux.

– C'est quoi l'idée de changer d'école au mois de décembre ? C'est bizarre. Sais-tu pourquoi ? Une histoire d'adultes, c'est certain. Y a pas un ado assez CRUCHE pour quitter ses amis au milieu de l'année scolaire. En tout cas, je vais lui parler de Geoffrion, moi. Il faut qu'elle sache à quoi s'en tenir.

Je savais que je pouvais compter sur Lily. Elle m'a même donné une framboise suédoise pour sceller notre entente. Lorsqu'il a commencé à pleuvoir, nous n'avons pas eu le choix. Nous sommes rentrées chacune chez nous. Avant de TOURNER sur sa rue, Lily m'a fait notre signe secret. Elle a l'air triste quand même, ma *BFF*. Sa mère exagère vraiment.

Maman est dans le salon. Elle lit un livre dont le titre seul est imprononçable. Je ne veux pas imaginer la suite. Pourquoi ai-je une mère intello ? Une mère normale aurait parfaitement fait l'affaire.

– Maman, je voulais te demander... Hum... As-tu déjà eu des mésaventures avec ton Ouija ? Et franchement, tu n'as même pas répondu à mes courriels ! (Vous remarquerez que ma question est très bien formulée. On n'attire pas les MOUCHES avec de l'eau de Javel... Je sais pas trop trop si c'est la bonne expression, mais je me comprends. Mouais, je sais que mon commentaire Et-franchement-tu-n'as-même-pas-répondu-à-mes-courriels vient annuler mes efforts, mais bon...)

– Non. Je ne me souviens pas.

Elle continue de lire puis elle baisse lentement son livre et me dévisage curieusement.

– Pourquoi me demandes-tu ça ?

– Tu ne m'as pas donné d'instructions quand tu m'as offert le jeu. Tu sais, j'ai consulté plein de sources sur Internet à propos de Ouija. Je ne sais pas si je dois croire tout ce que j'ai lu. (Wow ! T'es trop forte, Léa. Tu t'améliores.)

Ma mère dépose son livre sur la table. Elle se racle la gorge. Elle a l'air grave. Je commence à frissonner. Ouuuh ! J'aime ça quand il y a du SUSPENSE.

– Un samedi soir d'été. J'étais seule à la maison avec ma sœur Johanne. Ta tante... Nos parents étaient partis pour le week-end. Il « orageait ». Nous avions peur qu'il y ait une panne d'électricité parce qu'il ventait très fort. Nous avons sorti le vieux fanal à huile et nous l'avons déposé sur la table. Johanne est partie à la recherche d'allumettes. Elle en a trouvé dans l'entrée du sous-sol, sur la boîte de Ouija. Elle a rapporté les allumettes ET le jeu. J'ai allumé le fanal. Normal, j'étais l'aînée. C'était à moi de faire ça.

(Je sais pas ce que vous en pensez, mais pour quelqu'un qui n'avait aucun SOUVENIR de cet épisode *foule* marquant il y a moins de deux minutes, sa description des faits est **TRÈS** détaillée. Les adultes nous MENTENT, c'est pas possible. Faut toujours être vigilant.)

« La flamme projetait des ombres inquiétantes sur la table et au plafond. C'était vraiment fantastique. Johanne a ouvert la boîte. Elle a tout préparé. Nous étions très excitées. J'ai appelé Ouija. Je te jure que la SOURIS n'a pas bougé. On voulait que ça fonctionne, mais rien ne bougeait. Puis un ÉCLAIR effrayant a déchiré le CIEL. Le tonnerre a coupé le peuplier des voisins en deux. À ce moment- là, la télévision s'est allumée toute seule. Le son au maximum. C'était très épeurant.

« Johanne est sortie de la maison en hurlant. J'ai ramassé le fanal et je l'ai suivie. Nous nous sommes réfugiées dans notre CABANE DE BOIS, derrière la maison. Nous avons dormi là, sur nos lits de camp. Johanne n'a plus jamais voulu appeler Ouija avec moi après ça. »

– Maman, tu viens juste de dire que tu ne t'en souvenais pas. Tu m'as menti ! Pourquoi tu ne m'as jamais raconté cette histoire ? Elle est *foule* bonne !

– Sans doute parce que je l'avais enfouie dans un recoin de ma mémoire. Toi, tu as une histoire à me raconter à propos de Ouija ?

– Ça marche pas, ton Ouija. Je lui ai posé des questions, de la bonne manière. J'ai tout lu là-dessus sur Internet. J'ai été polie avec Ouija, j'ai dessiné un cercle de protection avec du gros sel. Rien. Aucune réponse. On s'est dit qu'il ne connaissait pas la réponse ou encore, qu'il était occupé. C'était le soir de l'Halloween quand même.

Je n'ai pas vraiment menti à ma mère qui ne peut pas en dire autant. J'ai résumé la soirée, en sautant quelques détails. Ma mère m'a fait un drôle d'air, un AIR énigmatique pour reprendre une de ses expressions favorites. Puis elle a récupéré son livre.

Moi, je n'avais qu'une envie : aller tout raconter à Lily. Elle va tellement AIMER mon histoire. Elle va apprécier davantage mon habileté à protéger les adultes des réalités qu'ils ne sont pas prêts à assumer.

– Crois-tu vraiment que c'est Ouija qui a allumé la télé, ce soir-là ? Penses-tu que c'est une possibilité ?

Ma mère dépose son livre. Elle me regarde droit dans les yeux. Sans dire un mot. J'ai eu des FRISSONS dans le dos rien qu'à soutenir son regard.

OhMonDieu ! Ouija est un jeu vraiment dangereux. Non, c'est encore plus grave que ça. Nous sommes des sorcières de mère en fille et ma mère veut me l'apprendre subtilement pour me ménager. Ma vie se complique de jour en jour. Je pense que je préférais le temps où je n'avais pas de vie. Tout était plus simple.

Tiens. Je vais aller lire mon horoscope pour demain. Arielle-Marina sera peut-être malade.

Amours : Vénus vous envoie des ondes favorables. Rien que du beau à l'horizon. **Amitiés :** Tout ce qui brille n'est pas or. Méfiez-vous des apparences. **Finances :** N'achetez rien sur Internet aujourd'hui. Vous pourriez ne jamais le recevoir. **Famille :** Le temps arrange les choses.

Lily lit VRAIMENT des STUPIDITÉS comme ça tous les jours et ça change sa vie ? Jusqu'à maintenant, je suis franchement pas impressionnée. Bon, essaie d'être plus positive, Léa. OK. Qu'est-ce que ça donne dans mon cas ? Mes amours imaginaires vont se concrétiser grâce à Vénus. (Bon à savoir, parce que le prof de sciences nous a caché les pouvoirs fantastiques de cette planète.) Donc je dois me méfier de mon amie Lily qui me donne l'adresse d'un astrologue taré qu'elle vénère comme un Dieu. Ou bien je dois me **MÉFIER** d'Arielle ? J'hésite. C'est dur, de faire des choix, surtout que je ne connais pas Arielle.

Côté famille, mon père s'est confié à Lulu (concernant le départ prochain de ma mère pour **NYC**), qui l'a écouté délirer avant de lui faire la leçon. Trop drôle. Elle lui a rappelé que ma mère a toujours adoré son travail. Et qu'on devait l'appuyer, pas lui mettre des bâtons dans les ROUES. (Ma mère a des roues ?) Ma mère exerce une mauvaise influence sur Lulu.

Cote du week-end : 8/10. Ma mère est enfin revenue ♥ ♥ ♥ ♥. Ne pas pouvoir jaser par courriel avec ma BFF 😠 😠 😠 😠 😠. Ma mère repart pour New York 😠 😠 😠 😠 😠. Mon père qui n'est pas content 😠 😠 😠 😠 😠. Mon prof de sciences qui me confie une mission ♥♥♥. Ma mère qui me confie un souvenir ♥ ♥ ♥ ♥. L'histoire de Ouija ♥ ♥ ♥ ♥. Arielle-Marina 😳.

Où Léa se rend
compte qu'il n'est pas
si facile d'intégrer
Arielle-la-nouvelle

Ce matin, avec toute la subtilité dont savent faire preuve les adultes, le prof de SCIENCES a réattribué les places dans la classe. Je suis trèèès étonnée que la nouvelle – elle s'appelle Océane, pas Arielle, mais au moins ma mère restait dans le thème marin ! – soit assise à côté de moi. J'aurais préféré que ce soit Lily qui soit à mes côtés. On aurait pu se faire des signes et manger des framboises quand les cours sont trop plates. Les profs sont souvent nuls quand vient le temps d'attribuer les places. Mais elle a l'air correcte, Océane. Gentille même.

Qui est Ze Nouvelle ?

Elle se nomme **Océane Therrien**. Elle est petite (ça fait vraiment dur quand on est debout l'une à côté de l'autre). La géante et la naine. Pourquoi suis-je si grande, aussi ? Ses yeux sont pers (ce sont des yeux qui CHANGENT d'idée au sujet de la couleur qu'ils devraient avoir). Elle a les cheveux blonds, très courts ; c'est plus pratique.

Océane fait de la nage synchronisée. Sérieusement. Elle s'entraîne avec le club de Pointe-Claire. Pas deux heures par semaine, pour avoir quelque chose à écrire dans son sportfolio. Non, non. Vingt-quatre heures par semaine. Elle fait de la nage synchronisée au niveau provincial. Aux derniers CHAMPIONNATS provinciaux, elle s'est classée au deuxième rang, en équipe. Même chose au niveau canadien. C'est pour ça qu'elle a changé d'école. Sa famille a déménagé pour se rapprocher de la PISCINE.

Océane a une sœur qui se prénomme Anne-Sophie. Tout le monde l'appelle Anne-So. Je suis contente de me prénommer Léa. Trois lettres, c'est assez difficile à condenser.

Océane est perfectionniste. Elle a décoré tous ses cahiers d'exercices avec du papier en vinyle. Vraiment joli. Ses livres sont classés par matière dans son pupitre. Des piles parfaites. Tous ses articles : crayons, EFFACE, règle sont parfaitement identifiés. Elle est très concentrée et ne fait pas de blagues pendant les cours. Peut-être cache-t-elle son jeu pour impressionner les profs. Elle est la saveur du mois. Je pense qu'elle le sait.

J'ai invité Océane à se joindre à NOTRE table. Ça facilitera son intégration si elle n'a pas à supplier pour se joindre à une table où tout le monde te regarde *croche* parce que tu ne fais pas partie de la *gang* et qu'on ne te parle surtout pas de peur d'attraper une maladie contagieuse. Elle s'est assise en face de Martin, entre Sabine et moi.

– *Gang*, je vous présente Océane Therrien.

– Tu t'appelles vraiment Océane ? Je me trompe ou ça rime avec Superman ? Comme dans Superman, le roi des bananes !!!!!!!!

Martin a éclaté de rire en tapant sur Antoine qui ne riait pas trop. Un peu, mais pas trop. Je ne sais pas si j'ai ri. Mais Martin hurlait et Geoffrion jubilait à l'idée de ramener le *Vert* en chef à l'ordre. Une chance, un cellulaire s'est mis à BRAILLER *Une fleur m'a dit* à l'autre bout de la café. Sur la liste des priorités de Geoffrion, les cellulaires sont encore très haut placés.

Océane a rougi, sans répliquer et sans rire. Je la comprends. C'est nul de se faire accueillir par une niaiserie, même si c'est une niaiserie du *Vert* en chef. Elle aurait dû répliquer quelque chose. Elle est sans doute comme moi : elle aura une idée brillante ce soir.

– Martin, je savais que je pouvais compter sur toi pour mettre Océane à l'aise. Merci. Merci beaucoup.

– Ça me fait plaisir, Léa. N'importe quand !

Antoine me fait son sourire trop craquant. Il quitte la table. Une nouvelle équipe de soccer a été formée et il en fait partie. S'il me le demandait, je ramasserais bien son cabaret. On devrait aller le voir un midi, Lily et moi !

– Léa, faudrait aller à la salle de bains. Océane, tu viens avec nous ? a suggéré ma chère Lily, plus accueillante que Martin.

Océane a accepté. Tout plutôt que de rester avec Martin, je suppose. Sabine nous suit. Elle n'a pas envie de rester avec son Jérémie ? C'est nouveau et je n'ai pas le temps de comprendre POURQUOI. J'ai une

mission secrète dont le nom de code est *Intégrons Arielle-la-nouvelle-qui-s'appelle-même-pas-Arielle* et je dois la mener à bien.

– Pour qui il se prend, ce Martin-là ?

Océane n'a vraiment pas apprécié l'**HUMOUR** de Martin. Nous, on est habitués. C'est quand il ne niaise pas qu'on se pose des questions.

– Pour lui-même.

J'ai répondu ça sans y penser. Mais je le pense ! Je ne crois pas qu'on puisse le changer.

– Il est comme ça, Martin. Il fait des blagues nulles mais c'est un bon gars, a dit Lily, avec l'air de celle qui connaît la vie.

– En tout cas, je ne l'aime pas beaucoup. Il a un long cou ! On dirait le périscope d'un sous-marin cherchant une niaiserie à dire. Il n'est pas très beau !

Personne n'a ri, même pas Sabine qui aime bien ricaner. Pas besoin d'être beau pour faire partie de la *gang*. Être distrayant suffit amplement. Et Martin l'est. Lily mime un étranglement dans le coin des lavabos. Je vais pouffer…

L'intégration *d'Arielle-la-nouvelle-qui-s'appelle-même-pas-Arielle* va être plus **DIFFICILE** que je le pensais il y a cinq minutes. (Tout change si rapidement de nos jours !) Sabine et moi, on a tenté de la calmer, mais elle est vraiment insultée. Elle ne rigole pas, Océane.

Avec elle, tout est top sérieux. C'est vrai. Martin aurait pu être plus gentil. Mais qui peut arrêter le vent de venter ?

La porte s'ouvre. Geoffrion est là, les bras croisés. Lily me regarde. Elle a trop envie de rire.

– Mesdemoiselles, si vous avez fini, sortez. Ce n'est pas un salon étudiant, ici...

Lily entre dans une cabine. Je sais qu'elle se retient trop pour ne pas éclater de rire. Océane semble se demander si Lily a toute sa tête. Elle sort dignement en saluant Geoffrion. Sabine l'accompagne. Pas le choix. J'espère qu'en janvier, Geoffrion va changer de CD parce que sa blague, on la connaît.

– Je me lave les mains, madame, ai-je ajouté sur un ton neutre.

Geoffrion ferme la porte mais je suis certaine qu'elle est toujours derrière, chronomètre en main. Lily tire la chasse d'eau qui CAMOUFLE mal ses gloussements.

Elle sort enfin de sa cabine, des larmes roulant sur ses joues rougies. Geoffrion est là, qui attend à la sortie. Je le savais tellement. Sabine et Océane se sont évaporées dans la NATURE.

– Geoffrion m'a à l'œil. Je n'ai pas eu le temps d'avertir Océane-la-banane à son sujet.

Même pas le temps de répondre à Lily, la CLOCHE nous rappelle qu'il y a un examen de grammaire cet après-midi. J'espère que Lily a étudié. Je n'ai même pas le temps de lui demander.

À : Antoine17@hotmail.ca
De : Lea.sec2@gmail.com
Objet : Allô

La partie de soccer, c'était comment ? ;-)

À : Lea.sec2@gmail.com
De : Antoine17@hotmail.ca
Objet : Re : Allô

Correct. J'ai marqué quatorze points :-)

À : Antoine17@hotmail.ca
De : Lea.sec2@gmail.com
Objet : Ouuuh !

Quatorze !!!!!!!!!!!!!!!!!!!!!!!!!!!!!

T'es mon idole !

8-)

À : Lea.sec2@gmail.com
De : Antoine17@hotmail.ca
Objet : Re : Ouuuh !

Ah Ah Ah

Tchaw :-]

Je le fais rire. **OhMonDieu !** Il est fier. Il est FIER ! Je n'invente pas ça. Regardez l'émoticône qu'il a utilisée. Ce n'est pas un hasard. C'était *foule* songé.

BONNE NUIT, ANTOINE !

1er DÉCEMBRE

La journée avait super bien commencé. Benjamin était en **FEU** dans l'AUTOBUS et nous a parlé du voyage humanitaire à Cuba qu'il fera en avril prochain. Il s'attend à manger du riz et des haricots en purée et du RIZ et des haricots... Je ne pense pas que je vais faire un voyage humanitaire parce que le riz me... En tout cas, je n'aurai pas envie d'y aller quand ce sera notre tour. Si je me fie à la réaction de **Petit-Voisin-Parfait**, les Cubains auront le plaisir de l'accueillir lors de « notre » voyage humanitaire. On les remercie à l'avance pour le service qu'ils nous rendront. S'ils pouvaient même le garder parmi eux... Tu peux toujours rêver, Léa !

Brisebois n'a pas surveillé notre entrée et on a **COURU** dans le corridor. Juste pour tester l'efficacité du système de surveillance. (Il y a place à amélioration !)

La journée a commencé à dérailler lorsque j'ai demandé à Lily ce qu'elle avait répondu à la question 5 du devoir. Elle m'a regardée comme si elle venait de voir le FANTÔME des Noëls passés[14]. Elle a oublié de le faire. **Ou-blié.** Je lui ai prêté mon cahier sans qu'elle me le demande. Je lui ai sauvé la vie. Je suis une bonne personne. (Le fantôme des Noëls passés ne devrait pas me poursuivre lorsque je serai vieille. Considérant sa ténacité, c'est une bonne chose.)

Ce matin, la prof a soudainement décidé de vérifier les DEVOIRS. Je ne sais pas ce qui lui a pris, elle ne regarde jamais, elle nous fait confiance. Lily m'a fait un signe secret signifiant *Ouf, une chance que tu m'as donné un coup de pouce. Merci ma chou.*

La prof nous a remis nos cahiers et elle a corrigé le devoir en classe. À un moment donné, elle passe à côté de moi et elle me demande à voix basse si, *par hasard*, quelqu'un a emprunté mon devoir. J'ai certainement rougi et que vouliez-vous que je réponde ? Je lui ai dit que **j'ai** prêté mon cahier. On ne m'a rien demandé. Je n'ai pas donné le nom de Lily et je n'ai accusé personne. Franchement, j'ai de la CLASSE.

La prof a continué la correction comme si je ne lui avais rien avoué. Je sentais que quelque chose allait arriver (il ne faut pas oublier que je suis devenue extra-lucide depuis que j'ai rêvé qu'un SQUELETTE se douchait chez moi). J'ai regardé Lily en mimant celle qui se coupe la gorge.

---

14. Personnage tiré du roman de Charles Dickens, *Un conte de Noël*. On doit le lire pour le cours d'anglais. Un peu épeurant, ce fantôme qui hante Scrooge la veille de Noël. En tout cas...

À la fin du cours, j'ai suivi les conseils de ma mère et j'ai pris ma vie en main.

– Madame, il se passe quoi ?

Comme une adulte, j'assume. J'assume le fait que j'ai sauvé ma *BFF* de la **HONTE**.

– C'est interdit de prêter son devoir à quelqu'un qui n'a pas fait le sien. Tu vas avoir un billet blanc. Lily aussi, d'ailleurs.

– Je vous remercie, madame. Bonne fin de journée.

Je sais. C'est STUPIDE de remercier quelqu'un qui nous punit. C'est *foule* maso et je devrais peut-être consulter un psy pour ça. Ne me dites pas d'aller consulter l'infirmière. Ses habiletés se limitent aux maux qui se soignent avec de la glace. Je doute que ce soit le cas du **masochisme**.

Je veux être claire. Je ne remercie pas la prof d'appliquer ce qu'un maniaque a écrit à l'encre invisible entre les lignes du fabuleux **CODE DE VIE** que je n'aurais jamais dû signer au début de l'année. Je lui ai dit merci parce qu'elle me l'a dit. Comme ça, je sais à quoi m'attendre. Et à quoi Lily doit s'attendre aussi. Comment se fait-il que la prof était convaincue que j'avais prêté mon devoir à Lily, et pas l'inverse ? Je suis l'élève modèle, c'est ça ? Zut ! J'ai un sérieux problème d'image.

Je suis à la salle de bains et plus je pense à mon billet blanc, plus je suis en furie. Lily m'a mise dans le **trouble**, ou plutôt, elle s'y est mise elle-même. Bon, je lui ai prêté mon devoir sans qu'elle me le demande. Je l'ai aidée un peu. Mais elle aurait pu dire non. Sa mère va capoter et on ne pourra plus rien faire. Zut, zut, cent fois zut ! Mes joues sont rouges et mes yeux, **exorbités**. Je suis mieux ici. Que personne ne me voit dans cet état. Surtout pas Antoine. Ou la prof de français.

Lorsque la prof d'anglais est entrée, mes mains étaient agrippées au lavabo. J'en fixais le fond, hypnotisée. Je respirais **presque** normalement.

– C'est vrai, Léa, ce que j'ai appris ? Tu as laissé Lily copier ton devoir ? Je ne pensais pas ça de toi. Tu me déçois un peu.

Moi, je suis plutôt fière d'avoir aidé une amie, madame. Vous savez ce qui distingue la jeunesse de l'âge adulte, ***madame*** ? La solidarité ! J'ai tellement eu envie de lui dire qu'elle aussi, elle me décevait. Elle a joint les rangs des adultes à une vitesse *fulgurante*. À moins que ce soit l'adultite aiguë qui lui soit tombée dessus. C'est probablement ça. L'adultite aiguë est un **MAL** sournois. Il frappe un peu partout mais surtout parmi les profs et les parents. Faut que je fasse part de ma théorie au ministre de la Santé.

– À tout à l'heure, madame.

Je trouve que je m'en suis sortie pas trop mal. Compte tenu de ce que je pensais vraiment. Pas le temps d'en rajouter, la CLOCHE a sonné. Comme la prof d'anglais est arrivée après moi dans le local, aucun risque de recevoir un billet blanc pour retard. Un par jour, ça suffit.

C'est quand même le premier que je reçois de ma vie. Peut-être que je devrais le SCRAPBOOKER !

À NOTRE table, Lily n'arrête pas de s'excuser. Comme je ne suis plus fâchée, je lui dis que ce n'est pas si grave. Pour moi en tout cas. Je lui rappelle que c'est MOI qui lui ai offert. Elle avoue alors qu'elle a copié mot à mot.

– Franchement, Lily ! Une compréhension de texte, c'est personnel… T'aurais pu changer quelques mots, quand même.

– T'avais tellement bien fait ça. Y avait rien à changer !

Toute la *gang* est consternée. On ne peut pas croire que j'ai **enfreint** un règlement. « **TOI ???** Un billet blanc ??? C'est impossible » et blablabla.

Ils me prennent pour qui ? **Hermione** Granger ?[15] J'aimerais bien, elle a de super bonnes notes, Hermione. Oui, mais elle est en amour avec Ron et Antoine est vraiment plus beau. En tout cas, je me comprends. Je pense.

---

15. Héroïne de la série *Harry Potter*, Hermione est la sorcière la plus brillante de sa génération.

– Léa, t'es vraiment plus *Verte* que je pensais.

C'est Antoine qui me complimente. Les autres gars me font une ★OVATION★. Comme Lily. Je rougis (si j'avais verdi, ça aurait été plus de circonstance). Vraiment, comment j'aurais pu faire autrement ?

– Je ne pensais pas l'être autant... mais ça fait plaisir !

– Léa, t'es mon **idole**, a crié Martin, le poing levé vers le ciel.

Je le regarde en me demandant s'il sait des choses à propos de nos courriels, à Antoine et à moi. J'ai un doute. Je regarde du côté d'Antoine qui a l'air du gars qui aime ce qu'il mange. Aucun signe de son côté. C'est une coïncidence **cosmique** à oublier.

– Je ne suis pas d'accord avec toi, Martin. Léa, tu n'as pas aidé ton amie en lui passant ton devoir.

Océane-la-banane **attaque** Martin ? Elle m'attaque aussi, par ricochet. C'est quoi son problème ? Elle est peut-être trèèès organisée, mais sur le plan stratégique, il lui reste des choses à apprendre.

– T'es pas d'accord ? Parce que toi, tu connais ça, la solidarité entre élèves ? Martin, lui, il sait ce que c'est, la solidarité. Léa aussi, je te signale. On se tient par ici. Pense à ça, la *Nouvelle*, a riposté Lily, en contenant difficilement sa rage.

Elle ramasse son cabaret d'un geste trop vif et s'**éloigne** d'un pas trop pressé.

– Océane a raison. Faut pas copier les devoirs des autres. Faut les faire soi-même !

Sabine ??????? Est-ce qu'il y a une MALADIE CONTAGIEUSE qui circule et je suis la dernière à le savoir ? Depuis quand Sabine prend le parti des profs ? Si je suis une vraie *Verte*, on ne peut pas en dire autant d'elle. Qu'elle s'occupe de sa vie et de son supposé AMOUREUX !

– Je vois que ma philosophie de vie n'est pas partagée par tous. Le *Vert* en chef vous quitte. Antoine, viens-tu au gym ?

– J'arrive, Martin. Bye Léa !

Océane-la-Banane a réussi à faire fuir trois personnes. Je serai la quatrième. Je dois aller me refaire une beauté. (Antoine m'a dit *Bye* ! Et je lui ai répondu calmement, sans rougiiiiiir. Ni verdir.) J'ai hâte que cette journée finisse.

Pendant le cours de SCIENCES, le prof m'a prise à part.

– Léa, tu m'as déçue. Tu iras voir madame Brisebois à la récréation. Au sujet de ton billet, je veux dire.

Tiens, je ne savais pas que j'avais déçu mon titulaire aussi. Un de plus et ils fonderont un club. Je reprends, au cas où quelqu'un aurait manqué un détail troublant. J'ai **déçu** mes profs parce que j'ai fait mes devoirs et que j'ai un sens du partage trop développé. **À méditer** : C'est MAL de partager avec ses *tinamis* quand on est au secondaire.

C'est loin d'être fini. Brisebois va s'en mêler. Surtout, ne pas la contredire. Ramasser le billet et sortir avec grâce et dignité. En me dirigeant vers son bureau, je répéterai mon nouveau mantra. Grâce et dignité. Grâce et dignité. Grâce et dignité. Grâce et...

– Léa ? Tu penses à quoi ?

Est-ce une question à choix multiples, monsieur ? Dans ce cas, je choisis la lettre A) : Grâce et dignité. Je sors mon cahier d'exercices et je rougis pendant qu'Océane me regarde en souriant. **Ouate de phoque !!**

(Grâce et dignité. J'espère qu'elle ne regarde pas mes SOULIERS.)

– Léa, ta présence ici m'étonne. Tu m'as habituée à plus de discipline par le passé.

(Votre discours manque d'originalité, madame. Dans une production écrite, ça irait chercher 5/10 au maximum. Juste pour vous mettre au courant des dernières tendances.)

– ...

– Tu sais, rien ne t'empêche de faire tes devoirs avec ton amie. Mais la laisser copier ton devoir, ce n'est pas très pédagogique. Elle doit faire des efforts si elle veut réussir. (Sourire qui tente de se faire complice.)

Raté, madame. **JAMAIS** nous ne serons complices, vous et moi.

– …

Grâce et dignité. Tire sur ta jupe, Léa.

– Bon. Voici ton billet, ma grande. Tu le fais signer par tes parents et tu me le rapportes vendredi au plus tard. Tu es une bonne fille dans le fond.

– Merci, madame.

Ouate de phoque ! Suis-je en sécurité dans un monde où une *bonne fille dans le fond* qui prête un devoir à une amie en détresse se fait faire la morale par tous ses professeurs alors que des alcooliques au VOLANT s'en tirent avec une sentence bonbon ? (Ne me demandez pas ce que ça signifie, mais mon père dit toujours ça et je trouve que le mot bonbon rend cette phrase appétissante.) J'aimerais que quelqu'un m'explique la logique des adultes. Moi, je crois qu'il n'y a pas grand-chose de logique dans leur comportement.

Maintenant, ma mère. Elle part demain matin. Quel cadeau d'au revoir, ce billet blanc. Assumer et prendre ma vie en main avec grâce et dignité. Mon deuxième mantra.

– **QUOI ???** Et la solidarité estudiantine ? Ils en font quoi ? Si j'avais été punie chaque fois que j'ai prêté un devoir, je n'aurais jamais terminé mes études secondaires. C'est honteux…

C'est juste un mauvais moment à passer, Léa. L'**orage** va se calmer. Elle va signer. Je n'ai qu'à faire preuve de patience et penser à autre chose. À Antoine, par exemple.

– Lancez une pétition. Non. Occupez le bureau de la directrice. C'est efficace et c'est écolo. Je vais lui écrire un mot, moi. Ils sont...

– Maman, c'est contre le règlement. J'AI ENFREINT UN RÈGLEMENT. C'est pas grave. Je suis même plus populaire qu'avant. Moins intello, genre. C'est comme une très bonne chose.

Ma mère doit vraiment être en colère parce qu'elle ne réagit pas à ce qu'elle considère comme des écarts de langage.

– JE NE SIGNE PAS ÇA PARCE QUE JE NE SUIS PAS D'ACCORD AVEC CE RÈGLEMENT À LA NOIX QUI DIVISE LES ÉLÈVES. C'est du fascisme ! Et je t'en prie, ne termine pas toutes tes phrases avec le mot « genre ».

Ah ! J'aurais dû me douter qu'elle finirait par réagir. Mais qu'est-ce que les NOIX ont à faire avec le fascisme ? C'est quoi, le **fascisme** ? Lafrousse, sors de ce corps. Il est temps de mettre un point final à ce pétage de COCHE improductif.

– Maman, si tu ne signes pas, je vais demander à papa de le faire. Pas de problème. Il va signer, lui. Et l'histoire va s'arrêter là.

Je sais bien que faire référence à papa, c'est malhonnête. Mais son nom ramène le calme dans la maison à tous les coups. Et je ne finis pas toutes mes phrases avec le mot « genre ». Ma mère exagère, **comme d'habitude**.

– Apporte-moi ce billet, je vais le signer. Solidarité féminine !

J'ai sa *signature*. C'est tout ce qui compte. Pour le reste, je verrai bien. Les ADULTES sont trop compliqués.

À : Lea.sec2@gmail.com
De : Lily43@gmail.com
Objet : Et ?

Comment vas-tu, ma chou ?

Ta chou

À : Lily43@gmail.com
De : Lea.sec2@gmail.com
Objet : Fiou !

Signé !

Après une séance de pétage de coche contre les noix fascistes. Toi ?

Ta chou

À : Lea.sec2@gmail.com
De : Lily43@gmail.com
Objet : Chut !

J'ai rien dit pour le moment. Ma mère va encore confisquer mon modem et quand elle daignera le sortir de sa cachette, la technologie aura tellement évolué qu'il sera complètement dépassé. T'as de la chance, ta mère est *foule* cool !

Ta chou

À : Lily43@gmail.com
De : Lea.sec2@gmail.com
Objet : Re : Chut !

Lily, ma mère est pas *foule* cool. C'est une intello hystérique pas rapport.

C U[16]

À : Lea.sec2@gmail.com
De : oceane.therrien@gmail.com
Objet : Ta mésaventure

Léa,

Courage, ma biche.

XOXO Océane

16. Abréviation phonétique de l'expression américaine *See you* qu'on pourrait traduire par A+. Genre.

Pourquoi Océane m'a-t-elle envoyé ce courriel ? Pourquoi XOXO ? Pourquoi a-t-elle écrit *ma biche* ? Je ne comprends pas ce qui se passe dans sa tête. Dure à suivre, Océane-la-banane.

BONNE NUIT tout le monde... et Antoine aussi !

– Ce midi, il y a une partie de soccer au gymnase. Venez tous encourager l'équipe de secondaire deux. Maintenant, les choses sérieuses. J'ai trois dates à vous proposer pour le dîner de classe de Noël : le 12, le 16 ou le 20 décembre. Qui vote pour le 12 ?

Deux mains se lèvent. On dirait que les *Bleus* ne veulent pas fêter avant la dernière semaine.

– Pour le 20 ? OK, ce sera le 20. Comme d'habitude, de la pizza au menu. Vous me passez votre commande au plus tard le 12 décembre. N'oubliez pas votre argent. Faudra décorer le local. Même si ce sera difficile de faire mieux qu'à l'Halloween, je compte sur nous. *Yes, we can !*

Je retourne à ma place. Il y a quelques applaudissements. La prof de français me regarde un peu *croche.* (Suis-je parano ?) Ce midi, je n'ai pas le choix. Il **faut** que j'aille au gymnase **encourager** l'équipe de soccer de secondaire deux. Surtout leur capitaine...

❀ ❀ ❀

À : Lea.sec2@gmail.com
De : Lily43@gmail.com
Objet : Magasinage

Oublie-moi, ma chou. Séquestrée, je suis. Tu sais pourquoi.

Ta chou qui va moisir dans un caveau humide pendant tout le week-end !

P.-S. Penses-tu que le groupe Amnistie internationale de l'école pourrait faire quelque chose pour moi ?

4 DÉCEMBRE

Nous sommes chez Sephora. La Mecque du maquillage. Il y a un Sephora sur la Cinquième Avenue à New York. Je l'ai dit à ma mère mais elle n'a pas cliqué.

Cette semaine, les Sephora *girls* maquillent gratuitement les yeux de leur clientèle excitée parce que Noël s'en vient et qu'il y aura plein de **fêtes** partout et qu'on veut être beeelles. Sabine est passée la première. Elle a le chic pour ces choses-là. Elle parle maquillage à la perfection. Elle connaît les produits, les instruments et à quoi ils servent. Elle possède un recourbe-cils !!! Conclusion : elle est hautement compétente dans cette matière.

Océane et moi, on attendait notre tour en regardant un peu partout et en passant des commentaires à Sabine. On se contemplait dans le même miroir qu'elle en faisant des mimiques même si la Sephora *girl* n'avait pas vraiment l'air d'apprécier notre ENTRAIN. On s'est concentrées sur les couleurs, en se demandant ce qui nous ferait bien. Océane et moi, on ne connaît pas beaucoup le maquillage. Ça nous fait au moins un point commun.

Pour Océane, je ne sais pas les raisons de sa **nullité**. Moi, avec une mère féministe qui se bat contre la femme-objet-manipulée et qui a la nostalgie des merrrveilleuses années 1970 où les hippies prônaient la beauté naturelle en s'aspergeant de **PATCHOULI** puant, il n'y a pas beaucoup de maquillage à la maison.

Lorsque je reviens sur Terre – il faut que je quitte la Lune une fois pour toutes –, je constate que la Sephora *girl* complète le maquillage des yeux de Sabine en appliquant un mascara à paillettes dorées. Elle est superbe. C'est vraiment *glamour*, comme Océane le dit en faisant des yeux ronds très drôles.

Sabine saute en bas de la chaise haute en se dandinant avec élégance. La girafe électrocutée est **MORTE** et enterrée, on dirait bien. Sabine cligne des yeux comme si elle avait ses faux cils bioniques. **À inscrire en** LETTRES MAJUSCULES **sur ma liste**

imaginaire de cadeaux que j'aimerais recevoir à Noël : des faux cils et de la colle à faux cils. Et une leçon de **maquillage** pour rattraper le temps perdu.

Au café, on trouve un coin tranquille pour jaser. On parle de l'école, de Jérémie-le-magnifique (pincez-moi. Sabine est vraiment trop bonne.), de Martin. Pourquoi MARTIN ? Il est juste drôle. Je ne comprends pas pourquoi Océane ne décroche pas.

– Les filles, on devrait se faire un échange de cadeaux pour Noël. Ça va mettre de l'ambiance.

Sabine a **toujours** de bonnes idées. Elle est douée pour la fête !

– C'est plate que Lily soit pas là. Elle fait partie de la *gang*, elle aussi. Et elle adore les cadeaux, les fêtes, les partys. Passe-moi ton cell, Sabine !

Pour une fois, j'exprime clairement la bonne idée au bon moment. C'est l'esprit de Noël qui commence à se faire sentir.

– Elle avait juste à être là. Ce n'est pas de notre faute si elle aime mieux rester chez elle. Hein, *Biiine* ?

BIIIIIIINE?????? C'est quoi ce surnom RIDICULE ?

– Océane, ce n'est pas de SA faute. Elle est pu-nie. Je te jure que si elle avait pu, elle serait ici.

– Mais elle ne peut pas piger. Donc, elle ne peut pas participer, affirme Océane avec trop d'autorité.

Je rêve. On parle d'un simple échange de cadeaux. Pas de l'élection de la présidente des États-Unis !

– Je pige à sa place ! Ça va faire pareil, BON.

En disant ça, je sentais que je perdais vraiment mon CALME. Je vais me transformer en pitbull si Océane continue à dire des niaiseries pareilles.

– Non ! Tu vas savoir qui elle a pigé. Une pige, c'est secret. C'est plate, mais c'est comme ça ! Tu es d'accord avec moi, Sabine ! conclut Océane avec le sourire de Cruella Devil. Rien que Léa !

– *Ooo*, je ne sais plus trop, là...

Le nouveau surnom d'Océane est Ooo ! (De plus en plus ridicule.) Cette fille change de surnom plus souvent que les profs changent d'idée. Faudra bien qu'on se branche, un jour. Lily et moi, on va se pencher sur le problème.

– On fera la pige à l'école. Je vois pas où est le problème, Océane.

– Faut que ça reste secret, Léa. Dommage pour Lily. Ce sera pour la prochaine fois, tranche Cruella Devil sur le ton que prenait ma mère pour me refuser une seconde portion de crème glacée.

La prochaine fois ??? L'an prochain, tu veux dire. Noël n'a pas le même EFFET sur tout le monde. Je ne comprends pas ce qui arrive à Océane. Elle est entêtée comme une mule.

Décidément, la journée a pris une tournure DÉPLAISANTE après qu'on nous ait transformées en femmes fatales. Je ne reconnais plus Océane (je ne la connais pas, alors la reconnaître n'est pas vraiment simple) et je décrète que l'opération *Intégrons Arielle-la-nouvelle-qui-s'appelle-même-pas-Arielle* prend fin à l'instant même.

6 DÉCEMBRE

OhMonDieu ! J'ai tellement de choses à étudier et de travaux à compléter. HALLUCINANT. À Noël, je serai morte sans savoir si quelqu'un m'a offert les faux cils dont je rêve. C'est vraiment trop injuste.

Je dois faire une liste. Établir des priorités. Me concentrer. Ne pas aller sur Internet. Ne pas écouter de MUSIQUE. Ne pas répondre au téléphone. Ne pas sortir de ma chambre. Qu'est-ce que cette vieille cassette des *Baby Spice* fait dans mon tiroir d'articles scolaires ? Je me fais honte moi-même.

Léa, tu as des choses plus importantes que ça à faire. **CONCENTRATION.** Lulu arrive ce soir pour me tenir compagnie pendant que mon père travaille trop et que ma mère s'intéresse seulement à la politique américaine. (C'est juste une expression, elle s'intéresse pas seulement à ça...)

LÉA, concentre-toi sur ton plan de travail !

Plan de travail

→ Test de géo - lundi

Brouillon - article de sciences - lundi

Français - Choisir un phénomène inexpliqué - avoir relevé trois sources

Préparer les fiches bibliographiques - mardi

Rédaction en français - mardi

« Verbos » - mercredi

Après avoir dressé cette liste, je devrais me sentir légère et en contrôle de ma vie. Pourquoi je me sens plutôt écrasée et impuissante ? OK. Une chose à la fois, Léa. Calme, posée, compétente. Bon, j'ai faim. Il doit bien rester une POMME verte quelque part.

J'ai choisi OUIJA comme phénomène inexpliqué. Lily m'y a fortement encouragée. Je suis prête. Un seul petit point d'interrogation : je parle de notre soirée d'Halloween ou pas ? Je parle de l'expérience de ma mère ou pas ? (Oups. C'était **deux** petits points d'interrogation.) Dans la rédaction, pas de problème. Ce sera entre la prof et moi. Mais en janvier, il y aura une communication orale. Soit je vais faire un malheur, soit je me retrouverai avec l'étiquette sorcière hystérique TATOUÉE sur le front. Il faut que j'en parle à Lily. J'étudie depuis trois heures quand même. Je peux prendre une pause. Un courriel et je me remets au travail. Une pause de cinq minutes, pas plus.

À : Lily43@gmail.com
De : Lea.sec2@gmail.com
Objet : Ouija

Je devrais parler de notre expérience Ouija pendant la communication orale ?

Comment vas-tu, ma chou ?

J'ai oublié que Lily est privée d'Internet pour un siècle. Mieux vaut lui téléphoner, c'est plus rapide.

Au téléphone, elle CHUCHOTE. Sauf lorsque je lui pose la question au sujet de Ouija. Là, elle crie comme une perdue et me dit que si je ne raconte pas mes histoires *foule* vécues, elle ne me parlera plus jamais et ne me donnera plus de framboises suédoises. Être privée de framboises ? JAMAIS !

Je n'ai pas eu le COURAGE de lui parler d'Océane et de son échange de CADEAUX pour nous mettre dans l'atmosphère de Noël. Je lui en parlerai dans l'autobus demain. Bon, une dernière révision en vue du fabuleux test de géographie. Je devrais avoir une bonne note, Martin ne m'a pas donné de tuyaux !

Le brouillon de l'article de sciences, maintenant. Les pluies acides. Il faut que je retrace l'historique palpitant des pluies acides. Je sais, ce n'est pas une tâche trop lourde mais je monterai l'article au complet pour le 22 décembre. C'est moi qui assume la partie techno du cours de sciences.

À : Antoine17@hotmail.ca
De : Lea.sec2@gmail.com
Objet : Salut

Tu survis ? Léa :-)

À : Lea.sec2@gmail.com
De : Antoine17@hotmail.ca
Objet : Re : Salut

Je survis *à l'os*. J'ai skié pendant tout le week-end. :-) :-) :-)

À : Antoine17@hotmail.ca

De : Lea.sec2@gmail.com

Objet : T'es trop bon !

Y a-t-il UN sport dans lequel t'es pas bon ? UN seul ?

Léa :-]

À : Lea.sec2@gmail.com

De : Antoine17@hotmail.ca

Objet : Re : T'es trop bon !

Fais-tu du ski, Léa ? Sinon, tu devrais essayer. Je suis certain que t'aimerais ça.

Comme CADEAU de Noël, je devrais demander des leçons de ski plutôt que des leçons de maquillage. **À méditer** sérieusement. Le ski est meilleur pour la santé que le maquillage. J'aurais les joues roses naturellement (OUI ! L'astrologue l'a dit !), donc j'économiserais sur le fard à joues que je n'ai pas encore. **À méditer intensément.**

Cote du week-end : 7/10. Antoine ♥ ♥ ♥ ♥. Océane 😠 😠 😠. Lily qui est séquestrée 😠. Lulu est revenue ♥ ♥ ♥ ♥. L'échange de cadeaux 😠.

– Et puis ? Le magasinage ? As-tu eu du *fun* ? C'était comment ? J'ai manqué quoi ?

Comment lui dire qu'Océane l'a habilement écartée de l'échange de CADEAUX ? J'ai rêvé à mon problème (c'est *foule* vrai !) et, même dans mon rêve, je n'ai pas trouvé de façon ÉLÉGANTE de raconter ma virée dans les magasins à Lily.

– Lily ! Jérémie est redevenu *foule* parfait !

– N'importe quoi, ma chou. Et je te le dis, ce n'est pas l'avis de l'astrologue !

Je regarde Lily qui me regarde. On se comprend. On fait de la télépathie, c'est pour ça que vous avez rien compris. C'est intense, la télépathie. Lily aussi pense que Sabine aurait dû *casser*. À la danse, Jérémie le PRINCE charmant s'est transformé en crapaud. Sabine sort avec un CRAPAUD ! Elle mérite mieux ! C'est ça qu'on se disait, Lily et moi.

– Mais as-tu eu du plaisir ? Réponds donc à ma question !

– C'était super jusqu'à ce qu'Océane propose qu'on fasse un échange de cadeaux pour NOËL. J'ai tenté de faire ajouter ton nom dans le tirage mais Océane n'a rien voulu savoir. Cette fille est trop rigide dans sa tête, ai-je déclaré en balançant ma tête de droite à gauche.

– Ça m'étonne pas. J'ai toujours su qu'Océane... En tout cas, on en fait un rien que nous deux ? Dis oui. DIS OUIII !

– Ouiii !

Je m'en suis pas trop mal sortie je trouve. Je n'ai pas trop *bitché* Océane. Ce n'est pas l'envie qui m'a manqué, c'est Lily qui a été trop vite. Ma mère sera fière de moi (je vais survivre à ça), elle a le **bitchage** en horreur.

L'examen de géo était trop facile. Le prof avait tellement parlé des prairies canadiennes, des invasions de SAUTERELLES (vraiment horrible) et des sécheresses qu'il aurait fallu être dans un coma irréversible pour ne pas comprendre qu'il allait questionner là-dessus à l'examen. D'ailleurs, il portait une de ses fameuses cravates thématiques. Sur sa CRAVATE, il y avait une gerbe de blé. Totalement pathétique, ce prof. Les vêtements ne rendent pas cool, monsieur. On est cool à l'intérieur. Je sais, je suis toujours très intense après un examen.

Rien d'autre à signaler sauf peut-être le billet blanc que le prof a donné à **PVP**. Il s'est engagé dans une bataille de surligneurs avec Karo (cible vraiment trop facile). Le but de cette lutte ? **Barbouiller** la chemise de l'autre tout en évitant de faire barbouiller la sienne. Karo lançait de petits cris trop drôles pendant que **PVP** barbouillait la manche gauche de sa chemise.

Au début, c'était COMIQUE. Mais PVP a été très intense (je sais, c'est étonnant venant de lui) et Karo a éclaté en sanglots. Le prof, qui était dans la lune, n'a pas ri du tout lorsqu'il s'est rendu compte des dégâts. Billet blanc pour PVP qui était fier de lui. Est-ce que cette bataille fait partie d'un plan diabolique pour changer son image de petit voisin trop parfait ? (S'il arrêtait de vouloir se faire remarquer à tout prix, ce serait **DÉJÀ** un changement apprécié de tous.)

Ce midi, les gars ont dévoré leur repas en trois minutes douze secondes. Direction, le GYM. Jérémie s'est mis au sport, lui aussi, et il regarde à peine sa dulcinée qui a l'air de se demander ce qui arrive. (Elle commence à se questionner ? Enfin !) Il veut avoir une blonde, ou pas ? Faudrait qu'il se branche. Seul Martin s'est intéressé à Océane. En quittant la table, il lui a crié *Salut la banane* ! Lily a éclaté d'un rire sonore, je me suis MORDU l'intérieur d'une joue, Sabine tentait de faire léviter sa fourchette. Je ne sais pas comment tout ça va finir. Et je ne m'en mêle pas !

– Sabine, viens, je vais à la salle de bains.

– OK, *Ooo*. Bye les filles !

Lily vient de comprendre ce que j'ai eu tant de difficulté à lui décrire ce matin. Je sais. Je souffre d'une maladie très rare. Parfois, mon cerveau ne parvient pas à traduire simplement mes idées super géniales.

Je pense que Lily ne sera jamais amie avec Ooo. Une intuition. Genre.

Nous sommes allées nous aussi aux toilettes. C'est un vrai rassemblement ! J'ai foncé sur Aglaé qui ne m'a même pas regardée. (Sniff) Elle était complètement absorbée par sa conversation avec Océane. On dirait un COUP DE FOUDRE amical. Lily est entrée dans une cabine, après m'avoir fait des signes étranges. Sabine avait les yeux RONDS et me dévisageait, avec le même air catastrophé qu'elle a réservé à son aaamoureux ce midi. Est-ce trop exiger des gens qu'ils fassent preuve de constance ? De stabilité ? **Arrêtez de changer à tout bout de champ.**

Comme si ce n'était déjà pas assez, voilà que Geoffrion s'en mêle. Elle, au moins, elle ne change pas. Je pensais jamais dire ça un jour, mais j'apprécie sa stabilité.

– Mesdemoiselles, si vous voulez tenir des conciliabules, il y a l'agora pour ça. Je vous prie de sortir !

Des conciliaquoi ? **Ouate de phoque !** Elle est bonne, celle-là.

– Madame Geoffrion, je vous présente Océane Therrien. Elle est nouvelle, vous savez. Nous veillons à son intégration. Nous lui présentons Aglaé pour qu'elle connaisse des élèves des autres classes.

Sabine ponctue son petit discours de battements de ses faux **CILS** bioniques. Ça marche ! Ne me demandez pas comment, mais elle a désamorcé Geoffrion en trois

BATTEMENTS de faux cils. Geoffrion lui adresse un sourire approbateur avant d'examiner rapidement la salle des yeux. (Elle cherchait quoi, au juste ?)

Un bruit de chasse d'EAU brise le silence poli qui s'était installé. Je choisis de sortir, pour ne pas faire échouer le plan astucieux de Sabine. Éclater de rire serait mauvais pour tout le monde. Je me sauve. « Sans courir, mademoiselle, parce qu'on ne court pas dans les corridors. » Océane et Aglaé, amies ? OhMonDieu ! Sauvez-nous de l'ENFER !!!!!!!!

Ce soir, dans l'autobus, PVP a raconté l'histoire de son précieux billet blanc au moins trois mille cinq cent quarante fois, comme si c'était un exploit digne du livre des records Guinness. Le chauffeur était au bord de la crise de nerfs. On a eu de la chance d'arriver en vie à la maison.

Je suis dans ma chambre. Lulu écoute la télé à plein volume. C'est rassurant.

À : Lea.sec2@gmail.com
De : Antoine17@hotmail.ca
Objet : Au secours !

%$&*@$% d'examen de géo ! Je vais brûler le livre. Mes notes sont nulles. Le prof est nul. J'y comprends rien. RIEN !!! :@

À : Antoine17@hotmail.ca
De : Lea.sec2@gmail.com
Objet : Re : Au secours !

Mots-clés à méditer : prairies canadiennes ; grands silos ; sauterelles affamées. :-)

P.-S. Y a rien à comprendre dans les notes !!!! Tu peux tout brûler. Non. Recycle-les. Ça dégage moins de CO_2.

Léa O :)

À : Lily43@gmail.com
De : Lea.sec2@gmail.com
Objet : Déco de la classe

Lily, as-tu des idées de déco pour le dîner de Noël ? Pense à ça, ma chou.

À : Lea.sec2@gmail.com
De : Lily43@gmail.com
Objet : Re : Déco de la classe

J'en ai deux, pas juste une. J'ai plein de cannes en bonbon ici. Imagine-les dans le sapin !

Mets une tuque de père Noël pour servir la pizza. Ça va être cool.

Ta chou, en libération conditionnelle :-)

À : Lily43@gmail.com
De : Lea.sec2@gmail.com
Objet : Déco

Tu me sauves la vie. *Again*… Ta chou

À : PVP@gmail.com
De : Lea.sec2@gmail.com
Objet : Les loups-garous

Philippe, as-tu encore ton jeu ? Apporte-le au dîner de classe, *pleeeease*. Léa

À : Lea.sec2@gmail.com
De : PVP@gmail.com
Objet : Re : Les loups-garous

Léa,

Oui, j'ai toujours cet excellent jeu de société. Ça va me faire plaisir de l'apporter. Si tu as besoin d'autre chose, n'hésite pas à faire appel à moi. Tu me connais. Tu sais que j'aime ça, aider et participer. Pour *Les loups-garous*, j'animerai le jeu aussi. Je suis un bon animateur. Je ne suis pas gêné. Je suis à l'aise en public et j'aime parler. En tout cas, je veux te dire de ne pas te gêner, j'aime ça m'impliquer.

Philippe

Je suis dans ma chambre avec Lily. Elle a eu une idée géniale, ma *BFF*. Heureusement qu'elle est là parce que moi, quand je pense au bricolage, mon cerveau fige. Mais pas le sien. Elle a eu l'idée de découper des flocons de NEIGE. Une tempête de flocons de neige. Des blancs et des bleu pâle. Pas question de les coller dans les fenêtres. Ça fait tellement premier cycle du primaire. On les suspendra au plafond avec du fil de pêche. Rien que d'y penser, j'ai des frissons.

Nous sommes étendues sur mon LIT. Nous grignotons vous-savez-quoi en écoutant Katy Perry. Assez fort mais pas trop.

À la fin de la soirée, on avait 103 FLOCONS et beaucoup de retailles de papier. Lily a découpé, moi, pour limiter les dégâts, j'ai attaché le fil de pêche.

Lily est partie en chantant. On a passé une super soirée. Sans (trop) *bitcher* personne. Pas même Aglaé-la-papesse-de-ce-qui-est-vraiiiment-*in*-dans-la-vie. Et demain, pas d'examen ni de remise de travaux ni de devoirs inutiles. Même pas de dictée. Elle est pas belle, la vie ?

Hier, un sapin a inexplicablement poussé dans un coin de la classe. Un autre miracle de Noël. Ce matin, Lily s'est lancée à l'assaut de l'arbre mythique et l'a couvert avec soixante-deux CANNES en bonbon. *Quite impressive*, a dit notre chère prof d'anglais. *Yes indeed*, mademoiselle.

La prof d'éthique et de culture religieuse en a profité pour nous raconter les origines **mystérieuses** et fascinantes de la canne en bonbon. Si on la tourne à l'envers, ce n'est plus une canne, mais oui ! C'est un J ! Comme dans Jésus. En plus, elle avait l'air de celle qui vient de découvrir le radium. Troublant. Mine de rien, elle a passé quinze minutes sur cette question. Merci, Jésus.

Je ne suis pas certaine mais je pense qu'un gars ronflait pendant le savant exposé sur la canne en bonbon SPIRITUELLE. **Petit-Voisin-Parfait** a tenté de distraire la prophétesse des bruits de fond en lui demandant si l'histoire de la canne en bonbon serait à l'examen. (C'est qu'il s'améliore, **PVP**. Bien obligée de l'admettre.) Nous avons tous éclaté de **RIRE**, évidemment. Pas elle, évidemment. La prof d'ECR devrait faire preuve de plus d'ouverture face à l'autre, surtout en cette période ! ☺

À la récré, nous avons suspendu les flocons. On dirait vraiment une tempête de **NEIGE**. Puisque nous n'avons pas de fenêtre qui ouvre sur l'extérieur, ça nous permet de nous mettre dans l'ambiance un peu plus. Cette fois-ci, tout le monde a participé à l'accrochage. Quand on a eu fini, on s'est applaudis chaleureusement. Un peu nul, mais bon, on n'est pas parfaits.

Aglaé-la-papesse-de-ce-qui-est-vraiiiment-*in*-dans-la-vie passait devant la porte de la classe comme par hasard et elle s'est bouché les oreilles. Parfois, le BONHEUR des autres est difficile à supporter. À moins que la joie ne soit démodée depuis hier soir. Faudrait que je m'informe.

11 DÉCEMBRE

Au lieu de monter l'article sur les pluies acides (dans le fond, ce n'est pas si urgent, il faut le rendre le 22 décembre), je lis et je relis ma A-Liste depuis quinze minutes. *El vido*. Aucune idée. Ma A-Liste est vide comme le dessous d'un arbre de Noël le soir du 25 décembre. Je ne vais pas demander son aide à Lily tout de même. C'est ma vie privée. Est-ce qu'il faut tout partager avec sa *BFF* ? Pas certaine. Même si elle est super comme *BFF*.

J'ai cessé de me triturer les méninges après avoir barbouillé trois PAGES de mon carnet tout choupinet. J'ai lancé ma requête dans l'Univers, comme Lulu me l'a conseillé hier. Je lui ai dit que j'avais un petit problème du genre AMOUREUX et que je cherchais des bonnes idées pour le régler. Rien de grave, j'ai très vite souligné. Les adultes stressent à rien, il faut les rassurer à tout propos. Ils sont comme ça, c'est une caractéristique du clan. Faut les protéger contre eux-mêmes. Alors, ce soir, le LANCER de la requête. On verra bien ce que ça donne.

À : Antoine17@hotmail.ca
De : Lea.sec2@gmail.com
Objet : Coucou !

Tu viendras voir la déco de notre classe. Pas mal bien et c'est pas terminé.

Ton exam de géo ? Vas-tu survivre ?

Léa

À : Lea.sec2@gmail.com
De : Antoine17@hotmail.ca
Objet : Re : Coucou !

OK, je vais y aller mais tu sais, la déco… Je t'ai déjà donné mon avis là-dessus. :D

La diseuse de bonne aventure est-elle encore là ? Ça pourrait m'intéresser…

A

Je dois rêver. C'est certain. Ou bien mes yeux **DÉFORMENT** la réalité. Ou mon cerveau *délire*. IL. VEUT. QUE. LA. DISEUSE. DE. BONNE. AVENTURE. VERSION. NOËL. SOIT. LÀ. Je sais. Des fois, j'imagine des choses. Je frotte mes yeux. Je relis son courriel. Je suis vraiment renversée. Là, ce n'est pas écrit entre les **LIGNES**. C'est *foule* sur la ligne. OUUUH !

À : Antoine17@hotmail.ca
De : Lea.sec2@gmail.com
Objet : Euh !

Une diseuse de bonne aventure, c'est tellement pas dans l'esprit de Noël. Franchement ! ;-) Elle est en vacances, je pense. En plus, son costume ne va pas avec les couleurs de Noël. Tellement pas rapport, mon cher ! :D

Léa

Mes doigts ont **rougi** (sérieux) et c'est la seule réponse que j'avais en magasin. Je m'améliore, non ? Ne répondez surtout pas...

À : Lea.sec2@gmail.com
De : Antoine17@hotmail.ca
Objet : Ha ! Ha !

Me semblait ! Merci pour géo. Bon tuyau. T'as vraiment des dons !

Noyeux Joël, là !

A

Super. Il trouve que j'ai des dons. J'ai des dons. J'ai des dons. **Beurk !** Il dit Noyeux Joël. **OhMonDieu !** Cette expression est tellement... tellement... Elle est tellement « tellement » que je sais pas comment la qualifier… Mais il est dans l'ambiance, lui. Il est dans l'ambiance… Ambiance… Noël… Yesss ! Je l'ai. J'AI **UNE** IDÉE.

Merci l'Univers pour l'excellent service.

Pré-cote du week-end : 10/10 pour le message d'Antoine ET pour l'inspiration ET pour la répartie dont j'ai fait preuve dans le courriel au sujet de la diseuse de bonne aventure. Je m'améliore. *Elle est pas belle, la vie ?*

Antoine, **MON** ANTOINE, veut que je lui prédise un coup de foudre !!! **OhMonDieu !!!** Mon cyber-astrologue dit quoi, lui ?

Amours : Vous saurez lire entre les lignes. (Ouiii ! C'est certain, je suis devenue habile. Je lis dans les lignes de la main aussi !) **Amitiés :** Un ami a besoin de vous. (Qui ça ? Antoine pour savoir s'il a eu un coup de foudre récemment ? **PVP**, pour devenir imparfait ? Impossible, ce n'est pas mon ami. Lily pour supporter Ginette ? Pas mal mieux. Sabine pour voir clair dans sa vie ? C'est elle ! Même si elle ne semble pas croire qu'elle a besoin de notre aide. Franchement, j'ai l'impression que tout le monde a besoin de conseils en ce moment !) **Finances :** Attention aux folles dépenses. (Pas très fort, c'est le temps des fêtes !) **Famille :** Vous serez bientôt tous réunis. (Lire mon dernier commentaire. Il manque d'inspiration.)

12 DÉCEMBRE

L'article de sciences. Pourquoi me suis-je portée volontaire pour le monter ? Tout est beau sauf le texte de Karolina. Je l'ai lu deux fois. Il est parfait. C'est justement ça qui cloche. Cette fille totalement perdue aurait PONDU un texte aussi parfait ? Im-pos-si-ble. Si elle a copié, on va toutes écoper et je pense sincèrement qu'elle a fait du copier-COLLER. Je suis coincée, là. Oh que je suis coincée !

Ma mère a téléphoné et je lui ai confié le problème avant de le lancer à l'Univers. Elle m'a donné un vieux truc d'éditeur.

« Copie deux phrases du texte litigieux. (Excusez-la.) Colle-les dans Google. Clique sur Rechercher. (Là, elle donne trop de détails, comme si je ne savais pas chercher dans Google ! Edward en a même parlé dans *Twilight*. Il a dit à Bella : *GOOGLE IT !* Bon.) Si tu trouves le texte de l'article sur un site web, parle au fautif ! »

Zut de zut !!! Karo a copié des paragraphes entiers. Heureusement que je suis extralucide. Parle au fautif (à la fautive, en fait), Léa. MAINTENANT !

J'ai réussi à contenir ma colère en parlant à Karo. Je me trouve cool. Je ne l'ai pas accusée, je suis restée calme. Karo avait envoyé le **mauvais** fichier. (Ouais !) Je devrais recevoir le vrai de vrai fichier dans quelques secondes. (C'est ça !) Je suis *foule* diplomate.

Je pourrais devenir représentante du Québec à New York. J'aurais mon appart avec vue sur Central Park et je donnerais des **SOIRÉES** très courues.

Je déteste les travaux d'équipe. Profondément et pour toujours. Merci l'**UNIVERS** pour le coup de pouce. Je ne veux pas savoir ce qui serait arrivé si je n'avais pas été extralucide. Si je n'avais pas douté. Si ma mère ne connaissait pas des trucs d'éditeur **paranoïaque**.

Je reste zen malgré tout. Je suis fière de moi. Je suis tellement mature.

Karo, **ouate de phoque !** *T'as pensé à quoi ? À tes ongles d'orteil ?*

Cote du week-end : 8/10. Antoine ♥ ♥ ♥ ♥. Karo 😠. Google et ma mère ♥ ♥ ♥ ♥.

19 DÉCEMBRE

Océane a apporté une immense maison de pain d'épice qu'elle a déposée près du sapin. La maison est mille fois plus appétissante que celle de **Hansel et Gretel**. Vraiment, notre classe est dans l'ambiance de Noël. J'espère que Lily ne va pas manger les framboises suédoises qu'Océane a collées sur l'arête du toit. Ce serait moche de BRISER la ligne parce que ça briserait la magie de NOËL. Océane a du talent pour le bricolage. Je suis forcée de le reconnaître.

Antoine est venu admirer notre œuvre. Il a déclaré que la classe lui faisait penser au mont Sutton et que ça lui plaisait bien. Sourire *foule* charmeur en plus. Ouuuh!

Il est 22 h 31. Karo vient de m'envoyer son texte corrigé. Vérifications faites, elle l'a vraiment adapté. Mais il est trop tard pour terminer le montage de l'article. Mon père va me faire son sermon sur le contrat moral et que je ne sais pas m'organiser et blablabla. Je ferai ça demain soir. Je déteste encore et toujours les travaux d'équipe.

Demain, c'est le dîner de classe. J'ai vraiment hâte.

Je porte une TUQUE de père Noël. Une belle, là. Je distribue des pointes de PIZZA. Il faut que je donne à chacun ce qu'il a commandé. C'est vraiment plus difficile que je pensais, le métier de serveuse de pizza. À rayer de la liste des métiers possibles.

Lily a apporté un immense SAC de framboises suédoises et elle force tout le monde à en prendre. Elle a une sorte de chapeau de fée des étoiles sur la tête et une baguette magique qu'elle agite au-dessus du sac de framboises en formulant des souhaits incompréhensibles. Elle délire et tout le monde apprécie la fée des étoiles, version 21e siècle. Sauf Océane, peut-être. Elle et Lily, ça ne clique toujours pas. Paraît que le cyber-astrologue aurait vu ça il y a looooongtemps !

PVP a sorti son jeu *Les loups-garous*[17]. Comme prévu, c'est lui qui anime le jeu et comme prévu, il fait bien ça. Sa tendance à vouloir se faire remarquer se transforme PARFOIS en qualité. Je suis TROP dans l'esprit de Noël, j'accueille les autres comme ils sont. Cet autre-là devrait en profiter car ça risque pas de se prolonger après le congé !

Comme d'habitude, je suis un paysan et comme d'habitude, je me fais tuer en premier. Je n'ai pas de talent pour la comédie. Je suis une tragédienne dans l'âme et ce talent est inutile quand on joue aux loups-garous. Ma MORT est une bonne chose, je peux prendre des photos de la fête.

---

17. Jeu de rôle joué au moyen de cartes qui sont distribuées aux participants qui doivent emprunter la personnalité du personnage qui leur est attribué. L'objectif des villageois : débarrasser le village des loups-garous qui y sèment la terreur. Les loups-garous, eux, doivent se débarrasser d'un villageois. Plus le groupe est important, plus le jeu devient intéressant. Je suppose, parce que je me fais éliminer au premier tour assez souvent.

Je capoOOOote. Ma A-Liste me rappelle mon contrat moral (mon père serait fier de moi !) avec moi-même. Souhaiter Joyeux Noël à Antoine. Le 22. Dans un dodo. C'est long et tellement court à la fois.

Je ne dois pas rougir. Ça serait **CATASTROPHIQUE**. Je m'exerce. Je suis assise sur mon lit. Je pense à des situations embarrassantes qui me sont arrivées et j'essaie de contrôler mon rougissement. J'ai l'embarras du choix. Il ne m'arrive que ça, des situations embarrassantes. D'accord, j'ai une vie. **BON POINT**. Remplie de situations embarrassantes. Moins bon point.

Je suis assise sur mon lit, les jambes croisées à l'indienne. Je me rappelle un événement. Quand je suis vraiment dedans, je me regarde dans le miroir et je vérifie. Ça fonctionne. Des fois, je suis juste un peu ROSE. Il y a de l'espoir.

Il manque la moitié des *Bleus* ce matin. J'ai vu que ça contrariait le prof de sciences. Il a donné son cours sans avoir l'air très convaincu et a terminé en nous laissant faire ce qu'on voulait.

Qu'est-ce que je fais ici alors que je pourrais être dans mon lit à rêver ? OK, j'ai des souhaits à formuler.

Et un échange de cadeaux à conclure avec Ooo et *Biiine*. C'est plus important que de passer du temps dans mon lit à regarder la photo d'Edward Cullen en pensant à Antoine, qui est vraiment plus beau, en passant.

Geoffrion n'est pas là ce matin. Les toilettes nous appartiennent. Dès que la cloche a sonné, nous nous sommes précipitées vers notre repaire. Pour l'échange de CADEAUX. Je regarde les sacs de Sabine et d'Océane. Je ne peux pas m'empêcher de me demander ce qu'ils contiennent.

Je commence. Je tends mon petit PAQUET à Sabine. Elle le déballe et se met à crier et à sauter. Un certificat-cadeau de Sephora. Dans une boîte qui contient un miroir de poche. Trop *glamour*.

– Ce sera parfait pour vérifier l'état de tes faux cils bioniques.

– Merciiiii !

– Tiens, Léa. C'est pour toi.

Océane me tend un sac rouge. Rempli de papier de soie vert et rouge. À l'intérieur, il y a une CARTE qu'elle a *scrapbookée* elle-même, c'est assez évident. Elle a écrit :

Merci beaucoup de m'avoir accueillie
et de m'avoir présenté tes amis.
T'es la meilleure.
O

J'ai une larme à l'œil. Je l'ai mal jugée. Vite, déchirer l'EMBALLAGE parce que quand je pleure, j'ai une face de pruneau séché et je ne suis pas à mon meilleur.

– Wow ! *Teenage Dream !* Katy Perry ! Qui te l'a dit ? T'es trop cool, Océane.

Sabine devient rouge et me donne un coup sur l'épaule. L'esprit de Noël, sans aucun doute. La porte s'ouvre, Brisebois est là. **Ouate de phoque !** Les piles de son radar ne sont jamais à plat ? Nous ne lui laissons pas le temps de nous réciter son boniment et nous sortons. L'échange n'est même pas terminé. Je veux savoir ce qu'Océane a reçu.

– Joyeux Noël, madame Brisebois.

Trois battements de faux cils. Tintement de la cloche. Nous nous précipitons vers notre local avant que le prof de math ne ferme la porte et nous lance un billet blanc de Noël. Peut-être qu'il aura dessiné du houx dans un coin. Pour faire plus NOËL. Je blague, il ne sait pas dessiner autre chose que des polyèdres à crêtes PIQUANTES. Il porte encore ses chemises à carreaux à manches courtes. Je n'ai pas le temps de me pencher sur son manque de goût indécrottable. Je pense à ce midi. Au contenu de ma A-Liste. J'ai tellement mal au ventre. Une brume m'enveloppe, mes oreilles bourdonnent. La géométrie, je m'en fiche tellement. Vous ne pouvez pas savoir à quel point.

Nous sommes quatre à NOTRE table : Lily, Martin, Antoine et moi. Sabine et Jérémie se sont volatilisés. (Contente pour lui !) Océane doit être avec Aglaé. Nous parlons tous en même temps, c'est FOU. J'ai l'impression que les gars profitent du dernier midi pour nous laisser une bonne impression. Je suis assise devant Antoine qui me regarde en rougissant. **Ouate de phoque !** C'est moi qui rougis ici, pas lui. Lily me frappe la jambe comme si elle voulait souligner qu'Antoine rougit (merci pour l'avertissement). Je ne ressens presque plus la douleur maintenant. Je me suis endurcie depuis le temps.

Antoine quittera l'école à 14 h, direction le chalet. Pour faire quoi ? Du SKI. Martin va partir après le repas. Il n'a pas de raison. Il sait qu'il aura un billet rouge s'il s'en va sans permission. Et il s'en MOQUE complètement.

– Vous direz à la BANANE que je l'aime !

– Je lui fais ton message Martin. Elle va être tellement contente, tu n'as pas idée à quel point.

– Léa, il **FAUT** que j'y aille. On se retrouve dans la classe. OK ? Salut la petite *gang*. Joyeux Noël !

Lily partie (merci, ma chou !), je suis seule avec Antoine. On ne parle pas. Il JOUE avec sa fourchette. Il la fait tenir en équilibre sur son majeur. Puis il me regarde dans les yeux. J'ouvre la bouche pour lui dire tout ce qui se bouscule dans ma tête. Mes idées sont comme de gros flocons de neige dans une bourrasque folle. Antoine s'approche de moi et j'ai très chaud.

– Antoine, je voulais te souh...

– ANTOINE, on a notre table de mississipi. Viens jouer, mon homme, il manque un joueur. **Arrive, là !** a hurlé Guillaume.

Fini, le vent fou et les **FLOCONS** coquins qui chatouillent le cœur.

– ... Joyeux Noël ! Passe de belles vacances de ski. Tu sais, j'y ai pen...

J'ai touché sa main. J'AI TOUCHÉ SA MAIN. Il ne l'a pas retirée. Puis il s'est retourné vers Guillaume qui hurlait encore comme un elfe en manque de Ritalin. La magie était **BRISÉE**. Comme une BOULE de Noël qu'on échappe par terre. Brisée en mille petits éclats de verre. Je vais étriper Guillaume même si c'est le gars le plus gentil de l'école et qu'il danse vraiment bien. Je le jure sur la tête de... de moi-même !

– Attendez-moi, les gars. J'arrive. Léa, tu... je... ouais... euh... Tchaw !

Antoine se lève d'un bond. Avant de s'élancer, il me souhaite de bonnes vacances en me faisant un sourire encore plus charmeur que celui du prof de sciences. Il hésite encore. Il avance sa main comme pour toucher ma joue en feu. Guillaume crie plus fort et s'approche de NOTRE table. Où je reste toute seule. Je presse ma main contre ma joue. Ne pas PLEURER devant toutes ces chaises vides. Ce serait trop pathétique. Je conclus qu'il y a des limites à ce que Noël pouvait faire pour moi. Je viens d'atteindre cette limite.

Il ne reste que trois périodes avant notre libération. Pendant le cours d'art DRAMATIQUE, je mime ce qui m'est arrivé ce midi à Lily. La prof est enchantée de voir que ses leçons m'ont bien profité. Je suis un mime déchaîné. Lily est découragée parce qu'elle n'a rien compris dans la tempête de gestes que je lui lance à la figure. Je ne maîtrise pas vraiment le mime du jeu de mississipi. Elle croyait que je nettoyais NOTRE table après le repas.

Nous sommes maintenant dix dans la classe. Même Petit-Voisin-Parfait manque à l'appel. INCROYABLE! C'est vraiment silencieux. Mais je ne m'inquiète pas. PVP se fera un plaisir de nous expliquer pourquoi on a eu la paix pendant quelques heures. Lily mange des framboises en rêvant à je ne sais quoi... Karo tente de faire bouger les flocons suspendus au-dessus de son pupitre par la force de sa pensée confuse. Océane a les yeux mi-clos. Elle doit visualiser sa nouvelle chorégraphie en vue de la compé de Montréal.

Hé, j'aurais pu aller encourager Antoine au mississipi. Cette bonne idée m'arrive deux heures trop tard. C'est l'histoire de ma vie. D'excellentes idées, trop tard. Toujours trop tard.

Il est 23 h 34. En vacances jusqu'au 6 janvier. J'ai raturé le dernier point sur ma A-Liste. On s'est PRESQUE embrassés ou je rêve ? Je sais. Je rêve. Il n'y a même pas de témoin avec qui je pourrais échanger là-dessus. Me questionner sur ses intentions lorsqu'il a avancé sa main vers mon visage cramoisi. Et maudire Guillaume. Lâche-nous un peu avec le mississipi.

Va falloir que je me creuse les **méninges** pour trouver une idée aussi efficace que les souhaits de Joyeux Noël. Des vœux de bonne année ? Du succès dans tes études ? De la santé ? TOUT ce que ton cœur désire ? C'est bon ça. Même que c'est génial. Tout ce que ton cœur désire. Un autre miracle de Noël vient de se produire. Ici, dans ma modeste chambre, à 23 h 38, heure normale de l'Est. En hiver, est-ce l'heure normale ou l'heure avancée ? Je sais jamais... C'est comme pour la règle avec le mot « air » (l'air fou ou folle). J'intègre pas.

23 DÉCEMBRE

Quoi ? Il n'est que 9 h et je suis déjà réveillée ? Moi qui voulais dormir jusqu'à midi. Au moins. Constatation : je ne suis pas encore une véritable ado. Je ne vais pas rester ici, à regarder Edward Cullen pour me faire croire que je dors longtemps. Je me lève, je ne vois pas d'autre solution. Lulu s'active déjà dans la cuisine. J'entends ses efforts pour être silencieuse. N'allez pas croire que j'oublie ma A-Liste. Je confie ça à l'Univers. L'Univers est trop efficace pour que je fasse le travail à sa place.

✿ ✿ ✿

LULU semble avoir des plans plutôt ambitieux pour ma première journée de vacances. C'est évident. Les tôles à BISCUITS sont étalées partout. Il y en a même dans la salle à manger. Sur le comptoir, il y a de la farine, du sucre, de la cassonade, des œufs et des tonnes de beurre.

– Tu fais quoi, Lulu ? Des biscuits ? C'est pas juste pour nous, tout ça ? C'est pour qui ?

– C'est pour la fête au centre d'accueil, demain. Tu sais, c'est moi qui fais les biscuits tous les ans. Mon bénévolat...

OUPS ! Mon bénévolat à moi ?! Mon PASSE-PORT PEI[18] est vide. Normal, c'est la première fois que j'y pense depuis le début de l'année. Je n'ai pas eu le temps de trouver une idée. L'organisation de ma vie me demande trop d'ÉNERGIE. C'est bénévole, aussi. Je ne suis pas payée pour me créer une vie à moi. Et je n'ai pas trouvé la catégorie qui conviendrait dans le passeport PEI !

– Est-ce que je peux t'aider, Lulu ? Je cherche encore quoi faire comme bénévolat. Dix heures, c'est

---

18. Dans une école internationale, les élèves doivent faire du bénévolat. Cet engagement social est consigné dans un passeport qui est évalué. Le mien est vide !!!

tellement long. Faire des biscuits, c'est une idée très cool. Je suis capable de t'aider. Dis oui, dis ouiii !

– Va t'habiller. Prends un BON petit-dejeuner. Je vais te mettre à l'ouvrage, moi. On ne sera pas trop de deux. Demain, tu viendrais avec moi ? Tu pourrais décorer la salle communautaire, c'est toujours un peu triste dans le temps de Noël…

– Merci ! Merci ! Merci !

Wow. Lulu a sorti ses recettes du super ANCIEN TEMPS. Première constatation : les vieux aiment les biscuits vieux. Je regarde les feuilles qu'elle a collées un peu partout sur les portes d'armoire : biscuits du vieux temps (ça dit ce que ça dit. Pas besoin de longues explications.) ; macarons à la noix de coco (des MACARONS comme ceux qu'on achète pour encourager Amnistie internationale ? Les vieux sont peut-être gentils, mais bizarres aussi.) Des galettes à la mélasse. OK, comme des PATTES d'ours, mais version Lulu. Des bonshommes en pain d'épice décorés ! C'est trop beau et, surtout, c'est trop bon. C'est moi qui décore ! C'est moi qui décore ! Et des craquelés au chocolat. Des biscuits usagés ? OhMonDieu ! Je vous l'avais dit que Lulu est la REINE des biscuits et qu'elle connaît toutes les recettes qui existent dans notre galaxie.

Je ne me souvenais pas que les SAND-WICHES aux œufs étaient aussi bons. Entre deux bouchées, j'ai suggéré à Lulu qu'on fasse des guirlandes de jujubes, en l'honneur d'Hansel et Gretel. Ou du Roi des bonbons dans *Casse-Noisette*.

– Ma belle, tu as des idées de génie aujourd'hui. Tu es en charge de ces guirlandes. Pour ton projet PE... PE quoi, déjà ?

– PEI, Lulu. **P**rogramme d'**é**ducation **i**nternationale. Je vais faire des guirlandes de jujubes mais ce n'est pas tout. Je vais accrocher des cannes en bonbon dans leur sapin. Plein de cannes en bonbon. Et des biscuits vitraux aussi. Ça va être super beau.

Direction le ROYAUME des bonbons. J'enfile mon manteau. Lorsque je demande son aide à Lily, elle crie. C'est tout. Elle a poussé un long cri et s'est mise à danser au milieu du hall d'entrée. Sa mère est sortie de la cuisine, nous a jeté un coup d'œil et a haussé les épaules. Enfin, quelque chose qui ne change pas.

Les yeux de Lily BRILLENT pendant que je lui explique le projet. Elle est *foule* intéressée. ***Uno***. Sa mère voulait qu'elle fasse le ménage de sa chambre. ***Dos***. Moucheronne avait invité son inséparable essaim de moustiques pour visionner des films de Noël. ***Tres***. Elle a mangé toutes ses framboises et elle est en manque de glucose. ***Cuatro***. Son passeport PEI est aussi affamé d'heures de bénévolat que le mien.

Il est tard. Les boîtes sont empilées dans le hall d'entrée. Lily est retournée chez elle depuis une heure. Je suis assise devant ma table de travail. Je remplis mon passeport. C'est ma **RÉSOLUTION** pour l'année prochaine. Faire tout de suite les choses que je voudrais faire demain ou après parce que ça me tente pas vraiment aujourd'hui. C'est la nouvelle Léa. Version améliorée. La fille qui prend sa vie en main aujourd'hui plutôt que demain.

J'ai bénévolé pendant neuf heures aujourd'hui. LULU va *signer* parce que c'est elle qui est en charge de l'activité *Confection des biscuits et des guirlandes*. Demain, ce sera l'activité *Décoration et distribution*. Je suis moooorteeee. Le bénévolat, c'est vraiment dur.

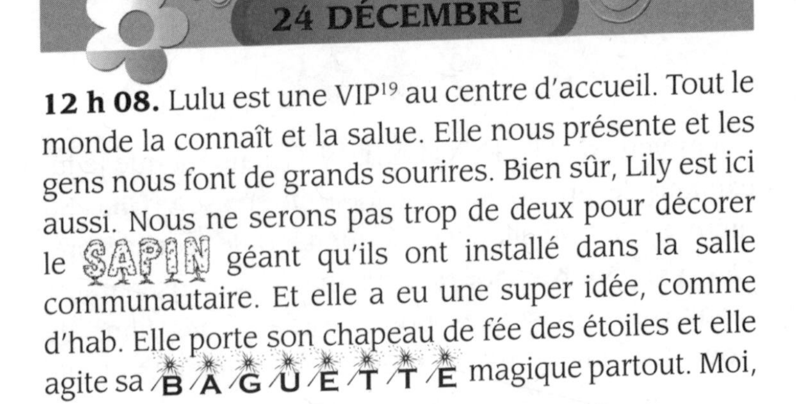

12 h 08. Lulu est une VIP[19] au centre d'accueil. Tout le monde la connaît et la salue. Elle nous présente et les gens nous font de grands sourires. Bien sûr, Lily est ici aussi. Nous ne serons pas trop de deux pour décorer le SAPIN géant qu'ils ont installé dans la salle communautaire. Et elle a eu une super idée, comme d'hab. Elle porte son chapeau de fée des étoiles et elle agite sa BAGUETTE magique partout. Moi,

19. Abréviation de l'expression anglaise *Very Important Person*, ou personne super importante. C'est bien de Lulu dont on parle.

j'ai ma super TUQUE de père Noël mais je n'ai rien à agiter. Les résidents nous trouvent assez drôles. Je suis contente, je n'aime pas quand les adultes nous regardent *croche*. Nous ne sommes pas des bandits, nous sommes jeunes. Ce n'est pas un crime. C'est un rite de passage qui conduit à l'âge adulte.

Il a fallu au moins une heure pour suspendre les GUIRLANDES, les cannes en bonbon, les boules de Noël, les tranches d'orange séchées, les cheveux d'ange, les biscuits vitraux et tout et tout.

Lorsque Lulu a ouvert les portes et que les résidents sont entrés, ils nous ont applaudies. J'ai pleuré un peu mais pas trop. Lily, elle, a agité sa baguette en direction du sapin, comme une fée de Noël. L'organiste s'est mise à jouer de la musique ancienne et le PARTY a commencé.

Lulu nous prend en photo, Lily et moi, devant NOTRE sapin. Puis la fée des étoiles en action devant le sapin. Moi en père NOËL croquant une guirlande de jujubes. Pour le passeport PEI, c'est certain. Mais pour les souvenirs. Surtout pour les souvenirs.

15 h 02. Je devrais compléter mon passeport PEI mais, franchement, je ferai ça le 6 janvier, ou le 7. J'ai encore du temps. Je lis *Twilight – Révélation*. Je pense à Antoine et... je ne sais plus où je suis rendue. Faut que je relise la même PAGE. Encore une fois.

16 h 15. Dans ma chambre. Ma porte est fermée. J'écoute les adultes jaser lorsque je ne suis pas là. Je n'espionne pas, là. Je me laisse bercer par leurs voix. Ça me calme.

– Ma belle Ève, tu aurais aimé ça, voir ta Léa au centre d'accueil. Elle a décoré le SAPIN avec son amie, elle jasait avec les résidents. Une bonne fille. Tu peux être fière d'elle. Elle est tellement gentille.

– Je sais, Lucienne, elle est sérieuse, ma Léa. Avez-vous des photos de la fête ? Je manque trop de beaux moments. Parfois...

– Je suis là, moi. Ne t'inquiète donc pas. C'est une bonne fille, je te dis. Elle te comprend, ne crains rien, l'a interrompue Lulu, comme pour lui éviter de dire une bêtise.

Ma mère s'ennuie de moi ? Elle pourrait me le dire, non ? Je la comprends de moins en moins. Au fait, je sors de ma chambre quand, moi ? J'attends quinze minutes, ça va faire moins espionne en herbe. (C'est long, quinze minutes à faire semblant d'être *foule* occupée...)

19 h 03. J'aime aller à la messe de minuit de vingt heures. C'est moins tard et c'est plus drôle. Cette année, il y avait des MOUTONS devant l'église.

Comme devant la crèche à Bethléem. Bonne idée, ça fait plus vrai. Les agneaux étaient trop mignons. Leurs parents sentaient un peu fort, mais c'est normal pour des moutons de sentir un peu fort.

Il y a tellement de MONDE dans l'église que le bedeau fait la circulation. Il se promène entre les allées et ses petits yeux cruels cherchent des places libres. Quand il en a trouvé une, il se précipite devant le banc l'air de dire *Ah ! N'essayez pas de m'en passer une*, et agite son bras dans les airs comme s'il voulait CHASSER une guêpe. On dirait qu'il veut battre le record Guinness du plus grand nombre de personnes entassées dans un banc d'église. Nous, on est en sécurité. On est déjà quatre dans un petit banc et franchement, il n'y a pas de place pour une cinquième personne.

Ce que j'aime aussi de la messe de minuit à vingt heures, c'est la petite saynète pour nous faire comprendre les mystères de Noël. Cette année, notre voisin et sa femme se sont déguisés en Joseph et en Marie. Le curé raconte qu'ils n'avaient pas de toit et qu'il n'y avait qu'une étable pour eux et que c'était mieux que rien et que la morale de l'histoire c'est que lorsqu'on VOYAGE dans le temps des fêtes il faut réserver sa chambre d'hôtel. Je suis pas vraiment certaine qu'il ait parlé de réserver sa chambre à l'hôtel mais c'est quand même une excellente idée.

– C'est alors que Joseph et Marie se dirigèrent vers la crèche.

Malaise. Joseph et Marie sont dans la lune !

– C'EST ALORS QUE JOSEPH ET MARIE SE DIRIGÈRENT VERS LA CRÈCHE.

Nos saints voisins sursautent et s'avancent un peu trop vite pour que ce soit empreint de dignité. Le curé soupire. Lulu et moi ricanons. Tout va bien, nous sommes au bon endroit. Jésus peut renaître en paix.

À l'heure des choses sérieuses. Mon père m'a versé du champagne. Dans une flûte. Je fais un peu plus partie du clan des adultes. Les BULLES me chatouillent un peu trop le palais. Mais je fais comme si c'était bon.

Mes parents trinquent. Ma mère pense à autre chose. Suis-je la seule qui a remarqué ? (Elle devrait confier ses soucis à l'Univers, c'est drôlement efficace.) Lulu surveillé la dinde et s'acharne sur les patates pour les transformer en patates pilées.

Nous mangeons toujours la même chose à Noël : de la dinde, de la farce, des patates pilées, des petits pois, des canneberges, de la SAUCE brune et des tartelettes à l'érable. J'imagine que c'est rassurant parce que ça goûte toujours la même chose, même si mon père déclare chaque fois que c'est encore MEILLEUR que l'an passé. Lulu est contente et ma mère sourit en agitant sa flûte de CHAMPAGNE.

– Lulu, c'est encore meilleur que l'an dernier, dit ma mère en souriant. N'est-ce pas, Jean-Luc ?

Mon père, en homme bien élevé, ne parle pas la bouche PLEINE. Alors, il hoche la tête en roulant des yeux et en se frottant le ventre, avant de se resservir de la farce et des petits pois. Lulu rougit. (Ah ! Ça vient vraiment d'elle, les joues qui rougissent pour rien !)

– Maman, aimes-tu mieux NYC ou le Québec ?

– Le Québec, Léa. Mais pourquoi parler du travail ce soir ? Est-ce que je te parle de tes devoirs, moi ? me dit ma mère en riant.

– Ils sont tous faits, tu sauras ! j'ai répliqué en disant presque la vérité. Tu pensais à quoi, tout à l'heure, toi ? (Je deviens très habile. J'ai des qualités évidentes de détective.)

Ma mère fait celle qui n'a pas entendu. Mon père a éclaté de rire. (Hein ? J'ai DIT quelque chose de drôle ?) Lulu a répliqué qu'elle est certaine que mes affaires sont bien en ordre avant de décréter qu'il serait temps de vérifier si les tartelettes à l'érable sont bonnes cette année.

Mon père se fait prier pour lancer officiellement le déballage des CADEAUX. Chaque année, il rappelle que, lui, dans son temps, il devait dormir avant de recevoir ses étrennes. Lulu ne semble pas se souvenir de cette page marquante de l'ENFANCE de mon père qui enfile enfin la tuque du père Noël et me tend un tout petit paquet. C'est de Lulu.

– Des faux cils et de la colle à faux cils ! Merci, Lulu !

Youpiiiiiiiiiiiiiiii ! J'ai enfin une arme de destruction massive pour contrer les adultes.

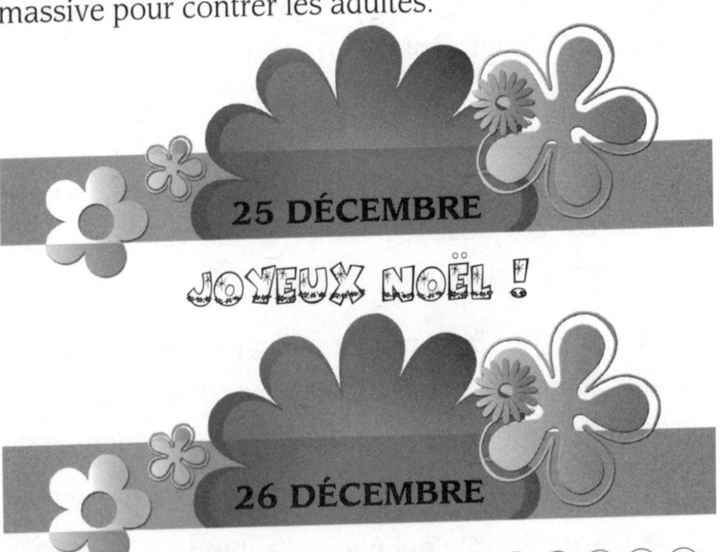

Le 27 décembre (c'est la TRADITION), mon oncle Jean-Paul, le frère de papa, vient célébrer **la** Noël chez nous, comme le dit ma mère en toute simplicité. Aujourd'hui, c'est pire qu'une tornade de neige. Il faut tout préparer : maison en pain d'épice, nappes, tables et chaises, desserts, etc. On se reparlera plus tard parce que là, je n'ai pas le temps. Mes adultes ont besoin de moi.

Aujourd'hui, jour de repos. J'ai essayé de mettre mes faux cils mais c'est DIFFICILE de se transformer en *femme fatale*. J'ai réussi à coller UN faux cil pendant que l'autre se rebellait. J'avais l'air de boiter des yeux ! J'ai tout rangé. Je demanderai des conseils à Sabine !

Cet après-midi, j'ai marché dehors avec mes parents. Mon père a fait des BOULES de neige pour nous bombarder. J'avais l'impression de figurer dans le film *La guerre des tuques*[20]. Il faisait FROID et je m'ennuyais un peu. Lily. Où es-tu ?

21 h 33. J'ai hâte que l'école recommence. Nooooon ! Mon cerveau fatigué par toutes ces festivités est devenu incontrôlable.

21 h 50. Je pense à Antoine parce qu'il doit penser à moi parce que les deux aiguilles de ma montre sont collées l'une sur l'autre... C'est un signe. Qu'est-ce qu'il FAIT à ce moment précis ? A-t-il skié aujourd'hui ? Je sais, poser la question, c'est y répondre ! Il faut que je me repose. Bonne nuit.

---

20. Film-culte des années 1980. Dans un village québécois, pendant les vacances de Noël, deux clans construisent chacun un fort et se livrent une bataille de boules de neige. Vous ne l'avez pas vu ? Je ne vous crois pas.

Grrr. Lily est partie au CHALET. Je n'ai pas eu le temps de lui parler de mon cousin Étienne et de *Love Calculator*. Ce sera pour plus tard.

Facebook. Océane a suggéré qu'on fasse une soirée pyjama (ma mère serait fière de moi, nous parlons *français*). Et elle cherche encore l'endroit où nous pourrions dormir.

À : Lea.sec2@gmail.com
De : oceane.therrien@gmail.com
Objet : le sleepover

Léa,

On peut faire la soirée pyjama chez toi ? On se retrouverait avant que l'école recommence. RSVP

O

À : oceane.therrien@gmail.com
De : Lea.sec2@gmail.com
Objet : Re : le sleepover

O,

C OK pour moi. On va être les quatre. RSVP

Léa

À : Lea.sec2@gmail.com
De : oceane.therrien@gmail.com
Objet : le sleepover - suite

Sabine, toi, moi et Aglaé ?

O

J'ai bien lu ??????? Aglaé ? Chez moi ? Dans **mon** sous-sol miteux mais chaleureux ? On parle bien d'Aglaé-la-papesse-de-ce-qui-est-vraiiiment-*in*-dans-la-vie ? Océane est devenue **folle** ? J'ai grignoté des framboises suédoises hallucinogènes ou quoi ? Pense vite, Léa. C'est trop gros pour que tu te laisses avoir.

À : oceane.therrien@gmail.com
De : Lea.sec2@gmail.com
Objet : Re : le sleepover - suite

O,

Quand je pensais à quatre, je pensais à Lily. Pas à Aglaé. On peut dormir quatre seulement. Désolée.

À : Lea.sec2@gmail.com
De : océane.therrien@gmail.com
Objet : encore moi

T'as raison. J'avais vraiment pas pensé à Lily :-\

Tu parles à Sabine ?

O :-*

Océane pensait à quoi, là ? Aglaé ! Je n'ai plus vraiment envie de la soirée pyjama. Bof, ça va m'aider à oublier que ma mère retourne à New York. Son bon-parler-français va me manquer. Pas grave, elle revient autour du 31 janvier. Ce n'est pas elle qui me l'a dit, mais il me semble que c'est une bonne date de retour. Si je m'écoutais, je compterais les dodos. Sérieusement.

22 h 37. Je suis dans mon lit. Je regarde mes posters. Je pense à ANTOINE. Que fait-il ? A-t-il skié aujourd'hui ? (Je pense pour penser, là. Je connais la réponse !) Il va être *foule* bronzé et *foule* beau et moi, *foule* verte avec les joues *foule* rouges. Se souvient-il du 22 décembre ? Est-ce qu'il y pense des fois ? Moi, un peu... Pendant la messe de minuit à vingt heures. Quand j'ai fêté Noël avec mon oncle Jean-Paul. Quand j'ai joué à *Love Calculator* avec mon cousin Étienne. Quand je suis allée glisser avec Steph. Quand j'ai complété mon passeport PEI. Quand j'ai fait le tri annuel de mes vieux vêtements (c'est la seule exigence ménagère de ma mère, elle n'exagère pas). Quand ma tante Johanne m'a souhaité « Bonne Année » et qu'elle m'a demandé si j'avais un « p'tit » chum et que j'ai rougi comme une idiote sans rien trouver à répondre. (J'aurais pu répondre que j'ai presqu'un « grand » chum mais cette réplique trop SPIRITUELLE m'a été suggérée par mon cerveau trois heures trop tard. Aucun danger qu'il écope d'une contravention pour excès de VITESSE avant la fin de cette décennie, celui-là.) Quand j'ai aidé mon père à déneiger la cour trois fois pendant la même journée à cause d'une méga tempête de neige. Quand... j'ai...

3 JANVIER

– Vraiment beau ton fer plat, Sabine. J'en avais jamais vu des roses. Il vient d'où ?

Les filles sont arrivées depuis je ne sais trop quand. Nous sommes en plein cœur de l'activité coiffure. C'est vraiment long. Je n'ai jamais compris pourquoi Sabine avait besoin d'un fer plat vu qu'elle a les cheveux courts.

Lily mange des framboises en donnant son avis sur tout et, surtout, sur rien. Nous sommes dans ma chambre, sur mon lit et par terre. Océane se fait aplatir les cheveux par Sabine. Moi, je les aplatis toute seule, mes cheveux, car Lily n'a pas le coup de main très capillaire. Pas grave, elle a beaucoup d'autres qualités.

J'ai sorti ma boîte Sephora et on va se maquiller après. Pourquoi ? Parce qu'on va se prendre en PHOTO. C'est Océane qui a eu l'idée. Elle va nous diriger, nous expliquer comment prendre la pose, et tout et tout.

Océane prend de belles photos. Je fais semblant d'EMBRASSER la caméra. Je suis assez sexy et j'espère qu'Antoine verra ma photo et le remarquera aussi.

Océane fouille dans mes vieilles cassettes et sort *Souvenirs d'été*[21]. Un film-culte qu'elle ne connaît pas. C'était le film préféré de ma gardienne. Elle l'apportait à la MAISON chaque fois qu'elle venait me garder. Je l'ai vu trois zillions de fois, au moins. Si on l'écoute ensemble, faut que je fasse attention à ne pas dire toutes les répliques en même temps que les comédiennes. Ça énerve tellement.

On part la cassette et Lily me fait des signes désespérés. Mais le magnétoscope fait le mort ; pas d'activité paranormale en VUE. Personne n'a déposé de foulard rouge sur la vieille lampe laide pour attirer les esprits cogneurs. Ça devrait aller.

J'ai presque réussi à ne pas répéter toutes les répliques. À la fin, on dansait en CHANTANT :

---

21. Version française du film *Now and Then*, une comédie dramatique mettant en vedette Rosie O'Donnell, Demi Moore, Christina Ricci et Rita Wilson. Un film sur le passage vers l'adolescence et, surtout, sur l'amitié qui lie quatre jeunes filles à la vie, à la mort.

I'll be there, I'll be there,
whenever you need me, I'll be there

Don't you know, baby, yeah yeah
I'll be there, I'll be there, just call my name,
I'll be there[22]

Deuxième film, *Le tout pour le tout*[23]. Le choix de notre Lily nationale qui a crié pendant dix minutes. Tellement que mon père s'est précipité au sous-sol, son cellulaire prêt à avertir je sais pas trop qui. Il me fait **HONTE** quand il fait le père responsââââble. Océane a blâmé Lily pour le dérangement. Lily l'a regardée vraiment *croche*. Là, ce fut au tour de Sabine de chuchoter les répliques et de commenter les chorégraphies.

Il n'était que minuit. Encore trop tôt pour se COUCHER. (Même mon père est d'accord.) Océane a choisi *13 ans, bientôt 30*. Personne ne répète rien, le film n'est pas assez vieux pour qu'on le connaisse par cœur. On essaie de danser sur *Thriller* mais on est trop mauvaises. On est toutes en **amour** avec Mattie, le petit **VOISIN** obèse qui est devenu un photographe trop beau.

---

22. Tiré de la chanson *I'll Be There* des Jackson Five. Michael Jackson faisait partie de ce groupe. C'est une *foule* bonne chanson.
23. Version française du film *Bring it on*. Film mettant en vedette Kirsten Dunst. Histoire de la nouvelle capitaine de l'équipe de *cheerleading* d'une école secondaire américaine qui rencontre des épreuves et mène son équipe aux championnats nationaux. Un autre film-culte.

– JE VEUX DES RAZZLES[24] !!! ET UN CHUM COMME MATTIE QUI ADORE LES RAZZLES LUI AUSSI !! a hurlé Lily en se roulant par terre.

Mon père n'est pas venu à notre **secours**. Le clan des adultes se relâche après minuit, c'est d'une tristesse !

On a finalement écouté *Les quatre filles du Dr March*[25]. J'aime **TELLEMENT** Winona Ryder ! En tout cas, je me comprends, c'est le principal. Je ne sais pas qui a éteint la **TÉLÉ**, mais ce n'est pas moi. Pas mon moi conscient en tout cas.

4 JANVIER

Sabine et Océane sont parties. Nous nous sommes fait des **accolades** comme si nous n'allions plus jamais nous voir. (Dans le cas d'Océane, ce serait pas si grave, d'après Lily. Je seconde.) On ne sait jamais, il faut prendre ses précautions. Lily est restée pour m'aider à tout ranger.

– Lily, tu connais *Love Calculator* ?

---

24. Dans ce film, les protagonistes mangent des Razzles, un bonbon qu'il faut mâcher et qui colore intensément la langue.
25. Version française du film américain *Little Women*.

– Ouais. Tout le monde connaît ça. Euh... sauf toi, on dirait.

– Mon cousin Étienne joue à ça pendant ses ateliers d'info. J'ai eu l'air d'une vraie *nerd* à Noël ! Sais-tu quel **score** j'ai eu avec Antoine ? Devine !

– À voir comment ça marche entre vous, je dirais 12 %. Peut-être 15 %, si on triche.

– 96 % !!!!!!!!!!!! C'est fou, hein ? Tu dois avoir raison, c'est la preuve que ce jeu-là est nul.

– Léa, oublie le *Love Calculator*. Prends les choses en main ! Vas-tu lui souhaiter Bonne Année au moins ? Si tu le fais pas, tu vas devoir attendre trois cent soixante-cinq jours. Penses-y, c'est long. Mon cyber-astrologue a certainement une idée là-dessus ! D'après moi, tu ne sais pas le DÉCODER ! Viens.

Amours : L'année qui vient vous réserve le plus beau feu d'artifices, à condition de faire un effort. (Mais j'ai fait tout plein d'efforts !) **Amitiés :** Un ami vous donne de bons conseils. Ce serait une grave erreur de faire la sourde oreille. (Lily me fait sa face de « je te l'avais bien dit ! » Trop drôle venant d'elle.) **Finances :** Investissez dans l'immobilier. **Famille :** Un parent éloigné pense à vous. Faites-lui signe.

C'est la meilleure prédiction que j'ai lue de ma vie ! Pas le choix. Si je veux profiter de tout ce que la vie me réserve de bon cette année, faut que j'écoute les conseils de Lily. Pour l'immobilier, ça n'a pas rapport avec moi, FRANCHEMENT. Il faudra que j'envoie un courriel à ma mère. Et que je parle de ma A-Liste à Lily. C'est mon coach de vie quand même...

– Je t'ai pas parlé de ma liste secrète, hein ? Regarde. C'est l'histoire de ma VIE. Avoue que j'ai fait des efforts. Qu'est-ce que t'en penses ?

Lily regarde mon CARNET en mâchouillant des framboises suédoises. Elle réfléchit intensément. C'est assez drôle...

– Prends ton chtylo rose. Écris Bonne Année A. C'est beau comment tu fais tes A.

(Je sais, je suis *foule* douée.)

9- Souhaiter Bonne Année à A en privé

– Léa, il faut que tu trouves un moyen d'être plus souvent avec lui. Euh... Apprends à faire du ski !

– Lilyyy...

Je réplique sur un ton plaintif qui montre à quel point cette idée est inadaptée à mon genre. En plus, ses parents le séquestrent au CHALET familial pendant le week-end... Finalement, c'est une bonne idée. À adapter à ma personnalité...

– L'équipe d'athlétisme !!! (Bilodeau ! C'est mieux adapté à ma personnalité, ça ?) Tu te rappelles pas le dernier cours de gym ? (C'est vrai ça, je ne m'en souviens pas. Je rêvais à Antoine.) Bilodeau recrute dans le moment. Qui fait partie de l'équipe ? TON ANTOINE. C'est lui qui gagne toutes les médailles. L'entraînement commence en janvier. Vous vous entraînerez super souvent, tu auras plein de choses à écrire dans ton SPORTFOLIO ET, en prime, tu manqueras une journée d'école en février. Toi, je te vois... (elle réfléchit intensément, ses yeux sont plissés et ses doigts PIANOTENT rapidement dans les airs)... tu as vraiment de longues jambes... (quelle découverte !) en saut en hauteur !

– Le saut en hauteur ? Je sais pas trop, là.

– Léa. Fais un effort ! me dit Lily, d'un air tellement sérieux que je n'ai pas le choix.

– OK ! Je prends ça en note..., ai-je répondu avec autant d'entrain qu'une CHENILLE dans son cocon.

10~Joindre l'équipe d'athlétisme (saut en hauteur !)

– Oublie pas. Antoine gagne toujours des médailles. Tu vas pouvoir le féliciter. T'asseoir avec lui dans le bus. Wow ! Deux autres idées. Vite, écris ça ma chou ! VI-TEEE !

11~ Féliciter A quand il gagnera toutes les médailles du monde et peut-être même plus...

12~ M'asseoir avec A dans l'autobus

Va falloir que je trouve une façon de remercier ma CHOU pour toutes ces idées pétillantes.

Ma A-Liste est **vraiment** longue. Je vais pouvoir dormir sur mes deux oreilles même si je ne sais pas comment c'est possible. Demain, retour à l'école. Les **vacances** ont passé trop vite. Euh… je me comprends.

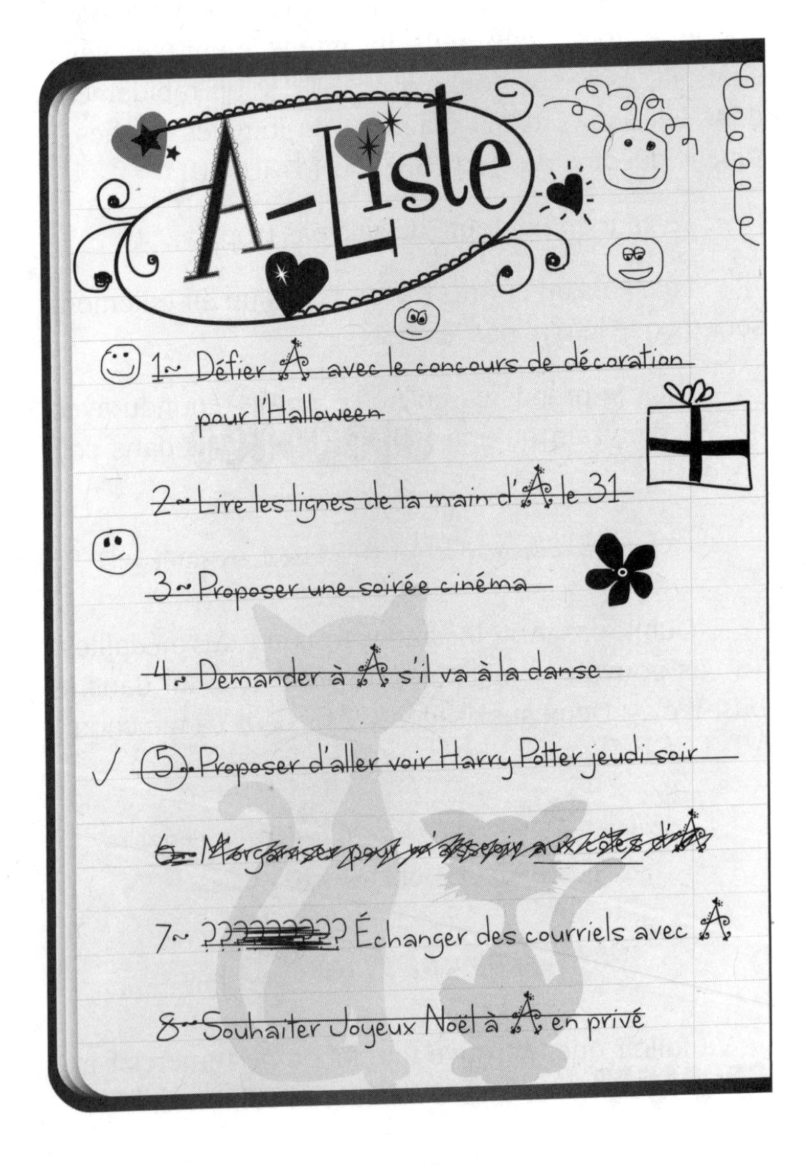

9~ Souhaiter Bonne Année à A en privé

10~ Joindre l'équipe d'athlétisme (saut en hauteur !)

11~ Féliciter A quand il gagnera toutes les médailles du monde et peut-être même plus...

12~ M'asseoir avec A dans l'autobus

✿ ✿ ✿

1 h 05. Faut-il vraiment que je lui souhaite BONNE ANNÉE en **privé** ? Je n'en vois plus vraiment la nécessité. Je ne veux SURTOUT pas rougir devant lui. Je rallume ma lampe. Edward Cullen me regarde. Il a l'air de croire que c'est important, lui, les souhaits de bonne année. J'éteins ma lampe. Dors, Léa !

✿ ✿ ✿

1 h 16. Le saut en hauteur ? Et si la barre me tombe sur la tête et m'assomme et me fait perdre la mémoire et que je ne reconnais plus Antoine... ?

Je rallume ma lampe. Je reprends ma A-Liste, ma règle et mon stylo à l'encre rose trop choupinet. Je tente de RATURER le point 10. Sans succès. Mon stylo rose fait la grève. Zut !!! Vraiment rien à faire. J'éteins à nouveau ma lampe. Je mets mon oreiller sur ma tête. **Dors, Léa !**

OhMonDieu ! Je vais revoir Antoine demain. Non, pas demain. Aujourd'hui, parce qu' on est déjà demain. Dans moins de huit heures !!!!! **OhMonDieu !**

Léa, tu ne voudrais pas avoir l'air d'une MORTE-VIVANTE. Même tes faux cils bioniques ne pourraient rien contre ça. Bon argument. OK, c'est beau, je dors. À tout à l'heure, Antoine...

Dors, Léa !!!!!!!

À paraître à l'automne 2012

Ouate de phoque !

Tome 2. Trop dur d'être une ado !

Léa adore : Antoine qui a enfin compris ce qu'il devait comprendre ; sa *BFF* Lily ; sa troupe de DANSE ; ses amis ; la Saint-Valentin ; faire des ANGES dans la neige pendant une tempête et les biscuits de LULU.

Léa déteste : quand ses parents ne réalisent pas qu'elle n'a plus CINQ ans ; la chicane ; les musées ; les débats, surtout lorsqu'elle doit affronter l'insupportable **PVP** et, par-dessus tout, la vie qui change tout le temps d'idée.

Léa rêve : de réussir à poser ses faux CILS bioniques ; de comprendre les règlements trop nuls du FOOTBALL et d'aller à NYC avec sa mère pour rencontrer le Chrysler Building en personne.

Le congé de Noël terminé, Léa reprend le chemin de l'école. Amours, amitiés, activités scolaires ou parascolaires, tout réussit à Léa. Pour une rare fois, elle se sent en plein contrôle de sa vie. Lorsque Océane sème un doute dans son esprit trop naïf, Léa REGARDE sa vie d'un autre œil. Et si Océane avait raison… Si sa vie était sur le point de basculer… Pour vrai ?

Dans la même collection

Ce que je sais sur l'amour ?

Pas grand-chose... Mais je sais que :

1. Les gars ne vous disent pas toujours la vérité.
2. Ce qui se passe entre deux personnes reste rarement secret.
3. Survivre à une peine d'amour peut être (trrrrrrrrrrès) long.

La vie amoureuse de Livia n'a jamais été du genre conte de fées. Nulle ou décevante serait plus proche de la réalité. Et la maladie en est la principale responsable... Mais cet été-là, un répit lui est enfin accordé pour ses dix-sept ans.

Lorsque sa mère (poule) accepte qu'elle aille rejoindre son grand frère, qui étudie aux États-Unis, Livia est en transe. Pour une fois dans sa vie, elle compte bien s'amuser et profiter de sa nouvelle liberté.

Et qu'est-ce qui peut arriver quand on se retrouve à des milliers de kilomètres de chez soi ? L'amooooooooooooour !!!!!!!!!

Dans la même collection

Ophélie a quinze ans, le cœur brisé, et autant envie de reprendre l'école que de se faire arracher une dent sans anesthésie. Disons seulement que la fin de sa 3e secondaire n'a pas été une partie de plaisir ! Entre le rejet d'Olivier (cœur en miettes pour toujours) et les coups bas que Zoé – son ex (?) meilleure amie – et elle se sont faits pendant des semaines, non, vraiment, Ophélie n'a pas du tout la tête à retourner à l'école.

Zoé, de son côté, ne sait toujours pas si elle doit pardonner à Ophélie. Mais à qui d'autre parler de ce qu'elle ressent dès que Jérémie s'approche un peu trop près ? Elle qui se contrôle si bien d'habitude, la voilà qui bafouille et rougit dès qu'il la regarde ! Tomber amoureuse n'était pas dans ses plans... et encore moins de Jérémie !

C'est au milieu de tout ça que *Chloé* arrive de Paris, sauf qu'elle ne pense qu'à une chose : repartir (et au plus vite !!!!!!). Québécoise de naissance, elle a toujours vécu en France et n'avait aucune envie de venir passer un an au Québec. D'ailleurs, elle ne pardonnera jamais à ses parents de l'avoir déracinée et forcée à quitter F-X, son chum. (Non mais, quelle idée !)

Les trois jeunes filles commencent donc une nouvelle année sans enthousiasme, mais qui sait ce qu'elle leur réserve ? Entre questionnements, rêves, amours et amitiés, Ophélie, Zoé et Chloé verront leur vie changer. Sauront-elles s'adapter ?

génération

Dans la même collection
À paraître à l'automne 2012

M
MARQUIS
Québec, Canada